你不可不知的人性②

◉劉墉 著

聖人、賢人、偉人、凡人，
有什麼不同？
脫下美麗的外衣，
每個人都是相似的肉身，
只不過——
愈是身經百戰，
愈是傷痕累累；
愈是歷盡滄桑，
愈是百孔千瘡。

前言

不再有象牙塔的世界

十二歲的女兒，雖然在美國出生，但是非常中國化，不但每天跟著公公婆婆看台灣的電視劇，而且跟我一起看台灣的新聞。

二〇〇〇年七月二十六號，衛星電視裡播出「小沙彌學院住持性侵害」的新聞。

「什麼是小沙彌？」女兒問。

「小沙彌就是小和尚，他們在那裡上佛教課。」

「什麼是住持？」女兒又問。

「住持就是主持小沙彌學院的人，也可以說是小沙彌的老師。」我簡單地解釋。

「住持是老師，又教佛教的課，爲什麼會欺負他的學生？」女兒很不服氣地說：「電視裡一定是亂說。」

「亂說不亂說，現在還不確定，但是老師裡也有壞人，卻是眞的！」我和緩地講。

「傳教的老師不會有壞人，他是壞人怎麼傳教？」女兒居然拉高了她的聲音，我知道她是不願意接受這個事實。

女兒氣呼呼地走了。

我一個人坐在電視前，想了許多。

想起九八年十一月，羅馬天主教達拉斯教區，以破紀錄的三千零九十萬美元，賠償給十二個被神父猥褻的「輔祭男童」。

那不是跟小沙彌學院的情況有點類似嗎？

女兒既然不信台灣小沙彌的老師會性侵害，我是不是應該說這個美國的案例給她聽呢？

只是，她聽了，會不會相信？又會不會對她純眞的心靈造成傷害？

◉

記得二十多年前，名音樂家鄧昌國先生在世的時候，有一次我問他對一位新竄起的年輕鋼琴家的看法。

「她最好別結婚。」鄧先生說。

「爲什麼？」

「因爲她最好活在她純眞的世界，不要接觸柴米油鹽。」

事實證明他的話沒錯，那耀眼的一顆星，結了婚、離了婚，消失了光芒。

我後來常想，是不是有些人就應該一輩子活在象牙塔裡作他的夢，在那水晶般純潔的世界裡，以他們的「冰雪聰明」創作。

只是，是否每個人都能有那樣的際遇？有幾人能從小到大，都不遭遇挫折、都不接觸醜惡的人性。就像我女兒，我能什麼都不對她說，但我能阻止她接觸外面的世界嗎？

於是她的純眞，反而成爲我憂心的事。

◉

人生走過半個多世紀。我發現許多出校門時壯麗可愛的年輕男孩，才入伍，就變了。

只因爲他發現早上長官那桌的豆漿比較濃，他發現伙夫會把「上肉」切到另一個地方。

然後，他進了社會，發現驗收的長官，先把西裝外套往工地辦公室的椅背上一掛，再去視察，回來穿上西裝，口袋裡已經沈沈甸甸。

他憤怒、他不服。

他可能因此離開那個工作，可能去舉發而吃了悶虧，也可能漸漸地近墨者黑，變成同一種「掛西裝外套的人」。

這個世界是多麼可悲啊！

一個人扶助倒在地上的孩子，轉眼孩子不見了，自己的錢包也不見了。

一個人在荒郊看見落單的女子攔車，停下來，讓女子上車，左邊太陽穴卻抵了一把槍。

一個人省吃儉用，捐給慈善團體，改天卻發現該被救助的人沒拿到幾文，那慈善團體的負責人卻四處揮霍。

如果「這個人」不能諒解人性，他能不由氣憤變爲冷漠嗎？

◉

五十多年來，我也看過許多最被寵愛的女兒，只因爲家裡管得嚴，沒交過男朋友，於是莫名其妙地遇到一個，就墜入情網，就不能自拔，就陷落一生。

她的父母只知怨自己女兒傻，可曾想想女兒容易得病，是因爲他們過去把她養在「無菌室」。

有幾個孩子能永遠不接觸病毒呢？

尤其今天，他一按滑鼠，就到了世界的另一邊，就看到令父母咋舌的畫面，就對個「情場老千」傾訴情懷。

電腦自己會染上病毒，電腦也會把病毒傳給使用的人哪！

你能再用「深閨小樓」去防犯嗎？

你能不早早爲年輕人注射對付病毒的疫苗嗎？

◉

《你不可不知的人性》正是我製作的疫苗。

無可否認，這本書裡的故事非常辛辣，如同疫苗，打下去可能令人腫痛、發燒，像我女兒在聽到小沙彌學院事件時的不舒服。

但是透過「你不能沒有的諒解」，我也希望大家能因此了解爲什麼城鄉差距、貧富不均會造成不安，爲什麼一個可愛的官員會腐化，爲什麼失敗的人沒有道歉的權利、爲什麼同志能變成敵人、爲什麼提拔你的人反而回頭迫害你。

換作你，你也可能變。

你不早早警戒，也會被一步步吞噬，一點點腐蝕。

因爲你被抓住人性的弱點。

◉ 我從來不相信世上有聖人，只知道無論賢人、偉人、好人、壞人、大人、小人，大家都是「人」。脫去外衣，每個人都是「雙肩承一喙」的生命。

我也從來不相信世上有眞正客觀的人，只知道每個人的客觀、公正，都有他的限度。

當限度被超越，涉及他自身的利益與他的家人，那客觀就可能改變。

人都是人哪！

當你了解了人性，就會發現「萬變不離其宗」，古往今來，所有可歌可泣、可愛可恨、可悲可恥的事，都脫不開人性。

原來那一切都是這麼平凡，這麼不必大驚小怪。

於是，你才可以用平常心去面對這些人世的現象。

◉ 這本《你不可不知的人性②》，一方面繼續前一集未完的主題，一方面作了更深入的探索。

雖然我堅持已往「用最淺的文字，談較深道理」的寫作原則，但是我也嘗試加入更多思考的空間。這本書與我早先出版的《把話說到心窩裡》恰恰走了兩個不同的方向。

那本是實用的，這本是思想的；那本是戰術的，這本是戰略的。

但無論戰術或戰略，我都在引導大家打一場光明正大的聖戰，而不是作個陰狠的伏兵；都在提醒你戴防毒面具，而不是鼓勵你去施放毒氣。

這世界確實夠污染的，但誰說在烏煙瘴氣裡嗅不到花的幽香。

請以智者的心去了解「你不可不知的人性」。

請以仁者的心去培養「你不能沒有的諒解」。

目錄

要救一棵倒下的大樹，
先得鋸斷它的枝子。

獨自裸睡的女子，
很可能把潛入的小偷，
變成姦殺的強盜。

因爲腐爛，所以生蛆；
因爲生蛆，所以腐爛。
這兩句話，都對！

馴獸師把頭塞進獅子的嘴裡之前，
絕不會忘記先餵飽那隻獅子。

第一章

今天人都死光了，
明天太陽還是會從東邊出來。

當虎妞發飆的時候

「你另請高明吧！老娘不幹了！」虎妞把門噹一聲狠狠地關上，直直地衝向自己的桌子，將文件往抽屜裡一掃，提起皮包走了出去。

一屋子的人全抽了口涼氣，跟著轉過頭，看經理室的門。

裡頭先沒動靜，隔了五分鐘，才見薛經理開門出來，先看看虎妞的位子，又走到小楊旁邊，低聲問：「虎妞呢？」

「走了。」小楊說：「出去了，大概是走了吧！」

便見薛經理匆匆忙忙地追出去，下了電梯。

「怎麼辦？」有人開始說話。

「完蛋了！」有人答：「我們都完蛋了。」

正說呢，薛經理板著臉回來了，「小楊！妳來一下。」就把小楊帶進去，關上門。

小楊下班，沒回家，先趕去找虎妞。

按鈴按了半天，沒人應，正轉身要走。門卻開了：

「小楊！什麼事？」

「我要問妳呀！什麼事？」

「老娘他媽的不幹了。」

「妳眞不幹了啊？」小楊進去坐下。

「當然眞的。」虎妞沒好氣地說：「我要叫老薛知道，知道沒有我的滋味。」

「妳明明知道，沒了妳，公司就動不了了。」小楊笑笑：「妳是何苦呢？跟老薛一個人過不去，也犯不著……」

「妳別說了！」虎妞一瞪眼：「老薛叫妳來的，對不對？」

小楊點點頭：「他不叫我來我也會來呀！我們是最要好的朋友，總關心妳啊！

誰不知道這麼多年來，妳爲公司作了多少犧牲，忙得連婚姻都不要了。」

「對！可是有誰感激？老薛感激了嗎？就爲我寫錯一筆帳，犯得著發那麼大火嗎？」接著說了一堆老薛的不是。

小楊也就順著她，跟著罵。

虎妞的氣消了些，還炒了兩道菜請小楊吃。臨走，小楊又勸虎妞回去。

「我會回去，但是要看我高興。」虎妞哼了一聲：「妳回去交差，就說我病了，請一個月假，病好了再上班。」

◉

「聽說妳病了。」第二天一早，老薛就打電話給虎妞，沒人接，只好在答錄機裡留言：「想去看妳，怕妳還不高興，不歡迎我。」

接著花店就送了一大籃鮮花給虎妞，寫著老薛和全體同仁贈。

下班之後，小楊又去了。

「拜託！拜託啦！看在同事的分上，回來吧！妳一天不在，公司全亂了！」

「亂了活該！」虎妞冷笑了一聲：「老薛不是本事大嗎？他去管啊！缺我這麼個老女人，有什麼關係？」

「可是，可是公司帳全在妳手上啊！」小楊直央求：「支票還得有妳的章，妳不來，全完啦！」

「讓他完！」虎妞還是沒好氣：「我在生病，總不能叫我不要命吧！」

◉

早上才進辦公室，老薛就把小楊叫進去。

跟著開了個會，先自責一番，又期勉一下同仁「共商對策、共赴國難」。

只是大家都嘆氣，說沒虎妞眞是全停擺了。

中午，老薛帶著楊小姐和兩個組長，又買了幾大盒水果去虎妞家，虎妞把門拉開一條縫，看到是老薛，砰一聲，關上了。

公司不能不開票，下午老薛只好帶著各種證件，去銀行換了印鑑。

但是有錢不管用，老客戶的資料還在虎妞手上，不！應該說只有虎妞心裡有數。甲公司該八折，乙公司九折，丙公司不打折。

「到底給不給折扣呢？」每個業務都來問。

「你們跑業務，自己不知道嗎？」老薛罵了下去：「照舊嘛！」

問題是那些客戶也眞鬼，不知從哪兒聽說虎妞請假，資料全封了，一個個打電話，說算他們貴了。

老薛沒辦法，只好又叫小楊打電話問虎妞。

「我忘了！不知道。」虎妞冷冷地回：「又老又病，意識不清，想不起來了。」

老薛頭大了，在辦公室裡踱圈子，踱了半天，指示下去：

「打一封通函給所有的客戶，說我們現在統一不二價，先調降價格，但是從今以後沒有折扣。」

「老薛被罵死了，跑掉好幾個老客戶。」小楊下班，又去跟虎妞報告。

「這是報應！」虎妞得意地笑。

事情還沒完呢！接著月底開發票也出了問題，有些公司行號不必開，有些開七成，有些一文不能少，少了就會挨告。

「怎麼辦？」下面人又向薛經理請示：「以前全由虎妞開，我們搞不清。」

「一律照實開！」薛經理臉都綠了，又自打圓場地說：「本來就不應該逃漏發票嘛！」接著把幾個組長找進去：

「建立個新流程，不必什麼都經虎妞，要分層負責。」

說歸說，晚上小楊又去了虎妞家。

◉

「你們不是很神嗎？沒有我，活得好好的啊！」虎妞還是沒好氣。

「可是要發薪水了。冊子在妳手上。」小楊央求：「能不能來一下，把抽屜打開，冊子交給下面去辦，再不然交給我。」

虎妞突然冷笑了起來：「給妳？我知道了，妳接手是不是？對不起！我鑰匙掉了。我可警告你們，不准開我的抽屜。」說完就把小楊推了出去。

老薛果然不敢開虎妞抽屜，雖然好幾個同事說那是公物，虎妞不開，公司有權開。

所幸由公司會計師那邊調出資料，重新造冊，解決了問題。

◉

轉眼一個月快過了。虎妞的桌子也就空了四個星期。

中秋節，協力廠商送了好多月餅來，全堆在虎妞桌上。

老薛特別致詞，謝謝大家在虎妞請假的這段期間，一起拚鬥，度過了難關。

「其實我們早就應該制度化。」張組長說，一屋子都附和。

「新來了不少客戶。」業務小李也說：「因爲我們統一售價，客戶反而增加了，尤其是小訂單，加起來更多。」

小楊坐在虎妞的位子上拿著名冊，唱名，發月餅，每人三盒。

發送完畢，桌上還剩了六盒。

「咄！怎麼還剩了六盒。」小楊算算。

「妳忘了妳自己。」有人笑道。

「對！忘了我，可是我拿三盒，還有三盒，怎麼回事？」

大家你看看我，我看看你，總算想起來了：

「對了！還有虎妞嘛！」

你不可不知的人性

故事說到這兒，「點到爲止」！

但是如果你繼續往下想，隔兩天，一個月到了，虎妞回來上班了，會是怎樣的場面？

大家會像是「大旱之望雲霓」，對她歡呼，表示歡迎，還是可能只在口頭上客氣兩句。

私下，會不會有人冷冷地說「回來幹什麼？不回來還好些」？

問題是，才一個月前，虎妞發飆的時候，大家不是覺得公司非完蛋不可嗎？薛經理、楊小姐，和幾個組長不是還三番兩次去拜託虎妞回來嗎？爲什麼漸漸地，情勢改變了呢？

◉

如果你常種花，一定會發現——

當你從地上挖走一棵花，留下一個洞，怎麼看怎麼不對勁，一定會急著把洞填平。

但是如果你沒填，隔一個月再去看，那個洞八成已經不那麼明顯。再過兩個月，用不著你填，那洞已經不見了。

假使你沒種過花，你總在牆上掛過畫吧！你有沒有經驗到——

當你摘走牆上已經掛了很久的一幅畫，那牆一下子「變空」了，你怎麼看，怎麼不舒服。

但是隔幾天，眼睛適應了，又漸漸覺得「空著也不錯」。

這世界就是如此。

它天生有修復的能力。

天崩地裂的大地震之後，所有坍落的土石會漸漸穩定，然後長出草、長出樹，回歸自然。

天崩地裂地「喪親」或「喪失領導者」之後，所有的慌亂也會漸漸平靜，然後產生新的生活方式，也產生新的領導者。

這世界上沒什麼是「非有不可」的，也可以說「就算人都死光了，明天太陽還是會從東邊出來。」

◉

你不可不知的人性

但人性不是如此。人知道這道理，卻不願意承認。

所以老人家常會問晚輩：「有一天我死了，你會不會哭？」

如果你說「我會哭死。」他就會覺得你孝順。

有些夫妻也會問彼此：「有一天我先走了，你怎麼活？」

假使你回答「我也活不了多久，就算活下來了，也不會再嫁（再娶）。」他就會覺得你眞愛他。

一個小孩子，躺在病床上的時候，甚至會猜：「今天我沒去，同學在幹什麼？他們是不是照樣上課？」

人性是以自己爲中心的，他「當然」認爲自己最重要。

就像虎妞，公司的大小事務一把抓，她確實重要，當她不來的時候，也確實會造成一團混亂。

問題是，混亂會一直下去嗎？青黃會一直不接嗎？哪個由青變黃，春去秋來冬至之後，不是又來「春天」？

就算青黃不接，也只是短暫的現象啊！

俗語說得好——「窮則變，變則通」。當大家沒路走的時候先是不習慣，接著則得面對，面對之後當然會開出一條新路。

當虎妞離開之後，大家愈是亂，愈得團結，一起去解決問題；愈是在團結之下，千辛萬苦地把問題解決之後，愈可能產生一種心理。

什麼心理？

當然是排斥的心理——「妳離開，給我們造成問題，以為我們死定了，我們就沒死，還活得好好的，比以前更好，妳以為非有妳不可嗎？」

結果，離開的，那個給大家製造問題，自以為最重要的人，反而成為大家排斥的對象。

◉

了解了這個人性，你就要知道——

拿喬不是不可以，但是一定得適可而止。

你是大牌演員，你可以今天不高興，把劇本一摔，跑了！剩下製作、導演、場務、場記、燈光、攝影，和其他的配角，在那兒無所適從。

大家只好收工，或拍一點沒有你的戲。你是主角，你不來，他們有什麼辦法？但是如果你久久不出現，大家忍無可忍了，導演把編劇找來，劇本改了，或是以前拍的全不要了，你再回去，他還要你嗎？

◉

如果妳跟老公生氣，提起箱子回娘家了，孩子哭、老公求、家人勸，妳都不回頭。

接下來當然是老公和孩子艱苦的日子。

他得早早起床，給孩子準備早餐、送孩子上學；他也得早早回家，給孩子燒飯，或帶孩子吃館子。

他還是天天求妳回家。

但是漸漸地，他不去求妳了，電話也少打了，妳放心不下，主動打電話去，孩子匆匆忙忙接，說爹地正要帶他們出去吃麥當勞、去遊樂場。

然後叫一聲「媽咪拜拜！」孩子掛了電話。

妳是不是怔在電話前，心裡千百種滋味。

妳先使他們孤獨無助，但是到頭來最孤獨的卻是妳自己。

◉

老人家也一樣。

妳是老人，自認爲重要，到處對人說「我媳婦要是沒了我，連飯都沒得吃，那家裡，非成狗窩不可。」

然後，有一天，媳婦惹妳不高興，妳去了別的孩子家，硬不回去「當老媽子」。

隔一陣，妳想孫子、孫女，憋不住，回去了。

進門，發現井井有條，見到孫子女，個個長得又高又壯。

這時候妳是不是如同挨了一記悶棍——

這家不是非有妳不可啊！

◉

戀愛男女更要懂得這個道理。

妳是嬌嬌女，隔兩天發一頓小姐脾氣，而且發得妙，讓「他」總懸在妳的線上。妳若即若離，他患得患失，確實是個掌握「他」的「高招」。

但是，如果妳小姐脾氣耍得太過了。這一天，在妳大喊：「你走啊！你走啊！」心想他一定會賴著不走的時候。

他居然眞走了，而且一去不回頭。

妳怎麼辦？

追，還是不追？

你不能沒有的諒解

你不能沒有的諒解

人性就是這麼矛盾——

你不能沒有他，你又可以沒有他。

你沒有他會活不下去，眞沒了他，你還是得活下去。

他不能沒有你，他又可以沒有你。

他沒有你會活不下去，眞沒了你，他還是得活下去。

◉

做人處世，你必須好好想前面這幾句話。

你必須知道每個人都希望被重視，所以你總要讓另一半覺得你沒他一天都不行。

你也應該使老人家覺得「家有一老，如有一寶」。

只有這樣，你的另一半才會有安全感，你的老人家才會覺得存在有價值。

同樣的道理。

你總要讓你的部屬覺得他很重要。這樣，他才幹得有勁。

你要分層負責，讓每個人都有責任、有擔當。這樣他才能「自我肯定」。

但是相反的，當你發現任何一個職員自以爲了不起，好像公司非有他不可的時候。你也得檢討，是不是該讓他換個位子了。

調動職位使他知道他會的，別人也能做；使他有了新的工作，不得不學習。也使他做一個位子太久之後造成的腐化，容易被發現。

◉

即使你不常調動位子，也應該要求職員休年假。

他愈不休，你愈應該要他休。

因爲他休假的時候，代班的人可以學習他的工作，有一天，他突然走了，你才容易適應。

代班的人更可以重新檢視他的工作。於是你很可能發現被積壓已久的文件、不清不楚的帳目，或相關廠商的「神秘電話」。

就算他都沒問題，當他度假歸來，發現公司一切如常，能沒有自知之明，而像虎妞一樣耍大牌嗎？

「這個家不能沒有我，這個家也可以沒有我。

這個世界不能沒有我，這個世界也可以沒有我。

當有一天，我不得不走，希望我的家仍然快樂，希望這個世界仍然美麗。」

這是每個成熟的人，都應該有的認識。

第二章

「辦公室發的桃子，一人五個。」

丈夫拿了四個桃子給太太。

「還有一個你吃了嗎？」太太問。

「我沒吃。」

「那你給誰吃了？你說！你快說！」

圓明園的花酒

「老孟！走啦！去吃大餐了！」謝主編拍拍老孟的肩膀。

「吃什麼大餐？」老孟轉頭問。

「張大師請客啊！圓明園吔！」

「張大師？」

「就是那位名畫家、美食家啊！」

「我不認識張大師，他也沒請我。」老孟冷冷地說。

「他沒請你？哎呀！」謝主編拍了一下自己的脖子：「我忘了你新調過來。」又笑了：「不管啦！一塊兒去！他非請你不可，採訪主任、副主任都請了，哪兒有不請副主編的呢？走！」

「我不去了，人家沒請我，我幹麼去？」老孟翻翻手上的新聞稿：「而且我這兒一篇專訪，小曹繳上來的，亂七八糟，我還在改，走不開。」

這話倒讓謝主編鬆口氣，順水推舟：

「也好！就辛苦你了。你看家，大家放心。」說完，轉身找林組長和宋副組長。找不到，原來兩人早站在門外等了。

「你們兩個啊！饞！」謝主編看到二人，笑了起來，一邊追過去，一邊罵：「上圓明園，跑得比誰都快！」

◉

辦公室四位主管，一下子走了三個。記者多半沒進來，就剩老孟一人。

「他媽的！有什麼好吃？」老孟心裡罵，站起身，經過謝主編的桌子，翻翻扔在桌上的請帖。

大紅請帖上燙著「圓明園」三個大字。

這地方老孟早聽說過，也是在自己報社裡聽說。兩三個月前，宮廷式的圓明園被告了，說它前面的雕樑畫棟全是違建，建管處限時拆除。

刻。

那新聞本來很大，被謝主編壓下來，只登了短短幾行，所以老孟印象特別深

「這是什麼地方？」老孟當時還問謝主編。

「咱們老總常去的地方，全世界第一流的餐館，一桌菜沒十萬塊錢下不來。」謝主編接著形容了一大堆，那裡的裝潢有多豪華，小姐多有氣質，餐具多麼考究。菜更不用說了，大概只有以前的帝王才能吃得到，怪不得去的全是達官顯貴。也怪不得違建的事不了了之。

這種地方，老孟沒去過。在南部分社當主編十幾年，大新聞多半在北部，南部新聞少、飯局也少。就算有，也沒那般排場。

「沒這命吃！」老孟暗罵著，一個人走進員工餐廳。

「上自老總、主編、組長、副組長，大夥全去吃大餐了，怎麼就您沒去？」餐廳老王居然哪壺不開提哪壺地問。害得一屋子的記者、職員都釘著老孟看。

老孟只好笑笑，沒答腔。他能說什麼？說人家誰都請了，就沒請他？

吃完飯，回辦公室，記者都就位了，一落新聞稿已經堆到老孟桌上。

「這麼大一篇，誰寫的？」老孟舉起其中一篇問。

「我寫的！謝主編交代我寫長一點。」小馬過來說。

「寫長一點，也犯不著寫這麼長啊！全登它，還登不登別的新聞哪？」老孟沒好氣地翻著稿子。

小馬笑嘻嘻地過來：「是啊！這張大師根本畫得不怎麼樣，只是會擺排場、送禮請客。」

「那你幹麼鬼扯這麼多？」把稿子丟過去：「刪！」

突然電話響，接起來，先傳來一團喧譁，然後是宋副組長的聲音：

「孟頭兒啊！我是小宋啊！」宋副組長在那邊喊：「謝頭兒和林頭兒都醉了，叫我打電話，問您張大師那篇專訪上了沒有？」

「上了！上了！」老孟喊回去。就聽那邊小宋對著一群人叫：「上了！上了！

孟頭說沒問題。」又聽見一個江北口音的人直喊謝，中間還夾著小姐唱歌的聲音。

「大家都醉了，我送他們回家，恐怕就不回辦公室，麻煩您了！」小宋又在那兒喊。

「好啦！好啦！」老孟沒好氣地掛上電話。正見小馬把剛分色打樣的圖片送上來。好大三張畫，足足佔了三分之一個版面。

「誰的？」

「張大師的！」

「用得了這麼多嗎？」

「主編已經排下去了，今天藝文版沒別的東西。」小馬攤攤手。

「笑話！我這兒就有一大篇。」老孟把小曹的稿子扔出去：「這篇早該上了，連圖片一起上。」

「那……那……」小馬舉著張大師的三張圖。

「等謝主編明天回來再說，他今天醉了，不回來了！」

小馬楞了一下，接著又笑了，把圖片抽走。又把小曹的專訪送到排版組。排版組的王小姐居然還跑了過來：

「孟副座！張大師的新聞只上這麼……，謝主編說……」

「他們都喝花酒去了，我作主。妳還多問什麼呢？」老孟沈沈地吼了回去：「搞新聞總要有點良心，吃誰的就給誰登大一點，我不是這種人，也容不得這種事。就算老總下條子，都不管用！」

◉

老總果然下了條子——「爲張大師加寫一篇專訪，立即刊出。」

只是，那已經是第二天晚上了，據說當天下午張大師畫展的預展酒會到的人奇少，大家都說沒看見消息。

老孟那天託病，沒上班。倒是晚上接到個請帖，張大師派人親自送到家的。

「這請帖印得好漂亮喲！」老孟的大女兒一邊走一邊喊：「是圓明園吔！哇！還請了媽媽，請咱們全家吔！」

張大師的新聞硬讓老孟給「擋」了，他為什麼還要請老孟吃飯呢？而且一請就請了老孟全家。

因為張大師發現他犯了錯，連採訪主任、副主任都請了，卻忘了副主編。今天就算有主編護航，隔天再為張大師發個專訪，改天如果孟副主編升上去做了主編，怎麼辦？

閻王好惹，小鬼難纏哪！

總經理交代下來，要捧場的事，誰能保證新聞發出來，沒有明捧暗貶？就算捧，也有大捧、小捧之分。

你或許想，老總、主編、主任都去圓明園吃了飯，第二天新聞只見「小小一塊」，他們一定會回去怨老孟。

如果你這麼想，就錯了！去吃飯的，是既得利益者，拿了好處的人，好意思怨那沒拿好處的人嗎？話說回來，換作是你，辦公室的主管全應邀去了，就你一人沒被邀請，你又能沒反應嗎？

◉

不知你有沒有讀過「二桃殺三士」的故事。

齊景公手下的三員大將公孫接、古冶子和田開疆，自恃有功，誰的話都不聽，而且結爲異姓兄弟，朋比爲奸、欺壓百姓，號稱「齊邦三傑」。

晏嬰看不過去，想了個辦法。有一天，齊景公賜宴，大家都半醉了。晏嬰突然拿來六個桃子，昭公、景公和兩位大臣各拿一個，最後剩下兩個桃子。

晏嬰就建議景公叫群臣各自表功，由功最大的兩個人吃。

公孫接說「我打老虎救君王有功」，於是得到一個桃子。

接著古冶子說「我在水裡殺黿救君有功」，於是也得一個。

這時田開疆急了，說：「我爲國征戰有功，爲什麼沒有桃子？」

齊景公只好攤攤手：「可惜沒桃子了。」

田開疆在群臣前面，覺得沒面子，又在酒醉之際，居然一氣之下拔劍自殺了。

公孫接、古治子心想「我們是誓共生死的兄弟，只因爲我們分了桃子，害得田開疆喪命。」於是也拔劍自刎。

於是晏嬰用「二桃」殺了「三士」。

◉

古人說得好——「不患寡而患不均」。

求公平是最基本的人性。

兩個還不會走路的娃娃坐在一起，你給其中一人一根棒棒糖，另一個必定會去搶，就算不搶，他也要哭。

這時候，你補他一個玩具。

那嘴裡含著棒棒糖的又要過去搶玩具，於是哭成一團。

人性就是如此，你有的我也該有，我獨有的棒棒糖不能取代你獨有的玩具。即使是不懂事的小奶娃，都知道要求公平，甚至據心理學家研究，連一個月大的嬰兒都懂得「計算」。

對！計算！

當你在一個盒子裡放三個球，先給他一個，再給他一個，這時候他雖然看不見盒子裡的東西，卻會繼續等著你給他。

他等著第三個球。

而在你把第三個球也給他之後，他就不再盯著盒子看。

◉

這「計算」的人性，一直由小到大，甚至到老。

當你吃酒席的時候，一盤大蝦端上來，看來沒幾隻，你是不是自然會算「夠不夠分」？

當你吃「鐵板燒」的時候，師傅手起刀落，嚓、嚓、嚓，把那腓力牛排切成一堆小方塊，再炒一炒，分到「眾人面前的盤子」裡的時候，你是不是會自自然然地偷看——「別人的會不會比我多？」

如果你明顯地發現每人都有八塊，獨獨你只有七塊，就算不說，你心裡是不是會不高興？

◉

當「冠蓋滿京華」的時候，「斯人獨憔悴」，就益發「憔悴」了。

當「人人皆有」的時候，「我獨無」就愈顯得不公平了。

現在，讓我們回到「張大師請客」的故事，也回頭看看「二桃殺三士」。

請問你：

如果只有一桃，分給三人中的一人，另外兩個人會覺得受辱太大而自殺嗎？

如果張大師只請了總經理和主編，沒請採訪主任和副主任，老孟又會冒火嗎？

當然不會！

這就好比大家排隊買票，好不容易輪到你，剛要買，票房關了，掛出個牌子：

「客滿」。

你會不會生氣？

你會生氣——當你後面沒有別人的時候。

你不會生氣——當你後面還有一堆人的時候。

你會怒不可遏——當票房裡走出一個人，越過你，把票賣給你後面人的時候。

這就是人性！

人性是在要求公平的時候，先看看有沒有別人也遭受不公平的待遇。

如果只有「我一人」，那不公平就太嚴重了。

因爲那非但是「不公平」，而且是「歧視」、「藐視」和「侮辱」。

你不能沒有的諒解

懂了這一點，你就該知道當東西有限，又不得不分配的時候，你一定要找個方法。

你可以說按年齡來，按性別來。年高的先得，或者女士們優先。

你更可以用抽籤的方法，誰運氣好，誰先得。

你甚至可以把東西扔出去，讓大家搶，就算搶成一團，搶得有人眼鏡砸了，都比你自作主張，隨手給幾個人的要好。

連摸彩都是如此，假使由你代大家摸。除了別看「彩箱」，你更要注意「往上摸也往下摸」，你不能只拿起那堆彩票裡最上面的幾張，也不能一直往深處伸手。

爲什麼？

因爲人性啊！你只摸上面，他會想「我的在下面」；你只摸最下面的，他又猜他的那張在最表面。

◉

人都要求公平，「不平則鳴」，甚至「不平則反」。這世上絕大多數的爭執、動亂，都因爲「不公平」。

貧富差距、城鄉差距、勞逸不均、分配不均，都是不公平。

甚至家裡的爭執，也常因爲不公平。

所以，當你只有兩隻雞腿，卻有三個孩子的時候，最好的方法，就是先在廚房把雞腿分解成許多塊。

你千萬別把兩隻雞腿，完完整整地端上桌。

所以，當你有四顆糖卻有三個小孩的時候，最好先把一顆塞進自己嘴裡，再一人分一顆。

你千萬別說「大毛乖，可以多一顆」。

所以，當你活著的時候，最好別分財產給子女，如果非分不可，則要平均分配。

你甚至不能口頭說，死了之後打算怎麼分。

因爲你只要表現了一點點的不公平，就可能立刻傷了親情。

你尤其不可說「某子女比較窮，我死了之後多分些給他」。

除非你的孩子出奇地好，否則必有人抱怨：

「問題是，他（那個比較窮的）現在是不是比較孝順你，又多照顧了你呢？」

結果，你還沒死，有些子女可能已經棄你而去。道理很簡單——

「心裡不平！」

即使你死後才宣布遺囑，到時候你什麼都不知道了，你也應該爲孩子們想想，想想最公平、最不會造成爭執的分配方法。

除非你希望見到子女在你的棺材面前吵架，或是從你死，他們就再也不來往。

◉

你也要知道人們要求公平的情緒，可以用不同的方式呈現。

當你倉庫的人員來鬧彆扭，除了工作分配的問題之外，你也要想想會不會因為他在倉庫熱得要死，踏進公司，卻發現大家在吹冷氣，而心有不平。

當你買了一樣東西，而老婆大爲光火的時候，你除了向她解說那東西的好處，也得想想她是不是另有一樣東西總想買而捨不得買？

當你父母發現你在打電話聊天，明明你只打了三分鐘，他們卻要大罵的時候，你要想想父母是不是原來以爲你在讀書，生怕吵了你，而連電視都不敢看。

◉

至於爲了打通關節而請客送禮，那就更得小心了。

如果你要請一個單位的人，最好只請上面的人，或是只請基層人員，再不然就全單位都請，絕不能跳過幾個人不請。

否則那被跳過的人必定與你作梗。

◉

如果你要送一個單位主管禮物，先想想那禮物會不會被大家看到。

假使你只給幾個人，別人見到會不會不高興。

如果會，你就只能送去那些人的家，或者乾脆都不送。

否則你只可能弄巧成拙，壞了自己的事。

◉

記住！

天平、地平、人心平，天下太平！

第三章

要救一棵倒下的大樹，
先得鋸斷它的枝子。

老陳的報復

「黃董事長夫人，該繳管理費了。」老陳故意衝著對講機，拉大嗓門喊，讓走進大廳的幾個太太都聽到。「咱們整棟樓的人都早繳了，就您府上沒繳，您再不繳，我就得給您墊上了。」

跟著就見黃太太跑出電梯，還一邊跑一邊喊：「對不起！對不起！我忙忘了。」幾個太太一邊進電梯，也就一邊學她的語氣：「我忙忘了！我忙忘了！笑死人了，只怕是手頭緊，繳不出來吧！」

她們故意要讓黃太太聽見，出出多年的怨氣。一整個大樓，沒人喜歡黃董事長家。他們住整層頂樓，好像一年到頭開冷氣，一開，就直往下滴水，滴滴答答吵人安寧。

他們又愛應酬，好像不睡覺似地，三天兩頭打麻將，再不然就唱卡拉ＯＫ，半夜三更還在大理石地上拉椅子，吵得幾層樓都聽得到。

連電梯都讓他一家佔著，等半天，電梯不下來，八成就是停在他家，也不知有多少人進進出出，走的時候還按著電梯不放，大概是向黃董事長鞠躬吧！

全是燒香的，逢年過節，你單單由那電梯裡掉的荔枝葉子、蘋果香味，就能知道有多少人送禮。

「他家可眞會吃。」老陳常對住戶說：「十幾簍、十幾簍的水果往上搬。他一家消耗的，只怕比咱們整棟樓加起來都多。」

◉

老陳最痛恨的就是黃家了。

半夜三更，大門都關了，他們家的「牌友」還進進出出，害老陳想睡個小覺都不成。

黃家自以爲了不起，特別苛。有一天，老陳不小心，讓個推銷員溜進電梯。黃董事長跟著就下來罵了，當著一堆住戶的面，把老陳狠狠修理一頓：

「要是來個人行刺、綁架，還得了？我們聘你當管理員，不是要你在這兒睡覺。」黃董事長拉著臉孔，老陳只好站直了，聽訓。

「他媽的！好像成了我的營長。」幹過連長的老陳恨在心裡：「就是我的營長也沒這麼罵過我啊！哪天把我惹火了，大不了老子不幹了，好好給你幾拳。」

◉

沒等老陳報復，倒是老天有眼，先讓黃董事長垮了。號稱是他自己開發的產品，居然抄襲了美國的東西，挨了告，而且勒令立即停產，已經生產的還得全部回收。

黃董的消息上了頭版新聞，一早，大家全看到了，連不看報的也知道了，因爲老陳逢人就報告：

「您看今天的大新聞了嗎？黃大老闆垮了，他這是活該！」

聽說的人，也就十分幸災樂禍地咒一句：

「報應！報應！看他以後還神氣不神氣。」

黃董、家眞像唱戲的花旦——身段軟。從出事，居然就一百八十度大轉彎。以前見人只當沒看到，從來不打招呼。現在則是主動開口，而且客客氣氣、柔聲細氣的。

以前難得在大廳裡見到黃董，因爲他總是坐電梯直接下停車場。現在，沒了車子，連車位都租了出去，他當然得由大廳進出。

他居然主動跟老陳打招呼，換成老陳把臉一撇，裝沒看到。

有一天，黃董居然過去跟老陳道歉：

「對不起啊！老陳，您大概還在生我的氣。」

「哎呀！我哪兒敢哪？」老陳嘴一撇：「您言重了。」然後沒等電梯門關上，就狠狠地大聲罵：「到今天才道歉，對不起！老子不吃你這一套！」

其實整個大樓都注意到黃家改了——

不再佔電梯、不再半夜三更吵、不再拉椅子，冷氣機不再滴水，連他那寶貝女兒見人都會叫伯伯、阿姨了。

只是大家也都跟老陳一樣，把黃家當笑話談：

「人垮了，一家倒都成人樣兒了。眞肉麻、眞受不了。」大家也私下猜：

「他垮了，賠那麼多錢，怎麼還不搬哪？」

◉

黃家硬是沒搬，一年多拖下來，而且居然來個大反轉，翻案成功，美國法院判下來，他沒侵權。

這下子，黃董事長公司的產品更紅了。告他的那家美國公司眼看打不垮他，居然不但賠他一大筆錢，還要跟他合作，共享全球的市場呢！

「完了！他又神了。」大樓住戶們彼此傳遞著消息：「以後又要滴水、拉椅子、佔電梯了。」

老陳更火：「老天爺是瞎了眼！再不然就是裡面有鬼，送了紅包。」

不過大家這次全猜錯了。

黃家眞改了。不但改，而且變得更親切。中秋節，家家都收到麻豆文旦，而且是由黃太太親自送到門上：「我們公司客戶送的，還不錯，如果您不見棄的話……」

老陳的桌子底下更多，放了滿滿一大簍。住戶們常才進大廳，就聞到剝文旦皮的香味。

◉

又隔一年，大樓門口拉上了紅色的彩條，還掛了一個牌子：「黃某某競選辦事處」。

大樓裡沒人說話，因為大家都是助選員。

當選那天晚上，大廳裡開香檳酒會，陪著黃委員出來接受喝采，喊得最起勁的正是近幾個月來，逢人就拉票的——老陳。

你不可不知的人性

貧而無諂難，富而無驕易。

當一個貧窮的人主動去找富有的人，大家會說他是「攀附權貴」，說他是「貧而諂」。

當一個富有的人，主動找貧窮的人，人們看了卻可能說「這個有錢人眞是平易近人、一點架子都沒有，眞是『富而無驕』。」

細想想，這兩者的動作不是完全一樣嗎？爲什麼卻給人完全不同的感覺呢？

◉

再舉個例子——

在工廠生產線上的一群女工之中，有一個女孩子在偶然的機會認識了工廠的小開。

她下班之後去找那小開，讓同事看到了。

那些女孩子會怎麼想她、說她？

是不是會說她「攀龍附鳳」？

但相反的，如果小開主動到生產線上找那女孩子，感覺就不一樣了。

◉

人性很矛盾。「自尊」與「自卑」之間，常常只是一線之隔。

日本人早期跟中國人一樣，說西方人是「南蠻」，但是被南蠻「轟」了之後，開始了「明治維新」，就一百八十度大轉彎了。

如果你看過日本當時的宣傳畫，一定會覺得很諷刺。那畫上一邊畫了穿和服的人，一邊畫了穿西裝的人，然後在後者的下面寫上「文明開化」。

天哪！由「南蠻」的「蠻」，到學習他們，認爲西方人才「文明開化」，之間有了多大的轉變哪！

◉

想想中國人不也一樣嗎？

那奇怪的「自尊」與「自卑」糾纏在一起。

早期看到中國女孩子挽著洋男人的手走，大家會偷偷罵：「作國民外交的！」可是見到中國男孩子泡洋妞，就不見得罵了。說不定還誇兩句：「這小子還眞有兩把刷子！」對不對？

◉

人們強烈的「自尊」與「自大」，甚至固執的自我封閉，或對人充滿敵意，常常是因爲「自卑」和恐懼。

那恐懼則由於對對方的不了解，以及對自己能力的沒把握。

連小動物都是如此。

當一隻狗第一次見到你，可能對你狂吠，一副要吃掉你的樣子。

牠眞那麼凶嗎？還是因爲牠跟你不熟，不知是敵是友，所以害怕地狂吠？

當你扔過一塊餅乾，甚至只是蹲下身，對牠親切地吹口哨的時候，牠就可能一扭一扭、一哼一哼地慢慢靠近你。

然後，你摸摸牠、拍拍牠，牠則開始搖尾巴，從此成爲你的朋友。

◉

人與人爲敵，常是因爲立場、因爲認知，甚至因爲面子。

人們之間的敵意跟狗一樣，常因爲不知對方是敵是友，基於一種恐懼。

想想，人都是人，人都有人性，都有良知，都有共識，其間會有那麼大的差異嗎？

今天競選，你說東，他偏說西，這是爲反對而反對，爲了他的立場。

他不能討好每個選民，既然你已經佔了西邊的，他只好站在東邊。

他眞的是只認爲東邊對，西邊錯嗎？

競選造勢大會上開罵了，由陳述自己的政見，批判對方的政見，到人身攻擊，批評對方「那個人」、「那群人」。

他們之間眞有這樣的深仇大恨嗎？

當然沒有！

所以，當選舉結束，那些攻擊的言詞就不見了；那些已經告進法院的案子就不了了之了；那些極端的政見，就一一軟化，說是「還要好好研究研究」了。

假使當選的人懂得作人，主動去拜訪反對陣營的大老，你就會發現他們居然彼此豎起大拇指，勾肩搭臂、互相推崇了。

◉

「政治的可笑」和「人性的可愛」就在這兒。

政治上可以翻臉比翻書還快，握手比打架還快；兩方人馬還在下面對罵呢，上面的人已經開始有說有笑。

相反的，原來似乎不共戴天、水火不容的人，能夠「相逢一笑泯恩仇」，突然之間，彼此諒解了、和好了，好得比跟他原來的戰友還好。

對！好得比跟他原來的戰友還好。

你會發覺當雙方是死對頭，後來和好之後，常常顯得特別親密。

道理很簡單——不打不相識、得來不容易。

你不能沒有的諒解

現在讓我們回頭，想想黃董事長與大樓管理員老陳。

當黃董垮了的時候，他已經改變身段，與大家攀交情，甚至主動找老陳道歉。

住户和老陳爲什麼不接受？

既然不接受，後來黃董東山再起，大家又爲什麼改變態度，對黃董加倍尊重，甚至擁護他競選？

當你細細看了前面的論述，就應當了解——

因爲黃董垮了的時候，他的示好，只會讓人瞧不起，那是「貧而諂」的「諂媚」

——

「你黃董現在不如意了對不對？對不起！我們也『回頭不要你』，我們也不吃你這一套。」

但是相反的，當黃董又發了，而且更發了的時候，同樣的動作，感覺就大不同了——

「這人眞不簡單，大人不計小人過，我們以前揶揄他，甚至侮辱他，他今天能計較，卻不計較，他眞是『富而無驕』啊！」

◉

不僅「貧與富」會造成這樣的差異，「得意與失意」也會造成不同。

今天妳的男朋友變心了，交了別的女朋友，過幾個月，他被那女生甩了，回頭找妳，妳還要他嗎？

相反的，如果那女生愛他愛得要死，是他自己回心轉意、回來找妳，妳是不是會「芳心大悅」？

道理很簡單：

如果是前者，妳再接納了他，妳是撿人家不要的。

假使是後者，妳再接納他，妳是最後的贏家。

只要是人，誰不要面子呢？

◉

同樣的面子，「勝者」的面子要比「敗者」的面子大得多，也容易給得多。

因為勝者已經有了面子，而且有不少面子，所以能拿出來分給別人。

你把面子分給你的對手，只可能讓人覺得你有風度。

當然，給敗者面子也要看時機。

今天當他敗給你，他的人還圍著他哭呢，你能去向他請益嗎？

那動作看來只會是侮辱，是示威。

你必須等，等敗者的情緒冷靜了，激情的擁護者散去了，你的聲望愈來愈高，他卻已經「門前冷落車馬稀」的時候，再輕車簡從，前去拜望。

而且你要把姿勢作得極低，使他覺得你是眞誠懇，使他的人覺得「主子受到尊重」。

於是，他與你和好了，「他的人」也與「你的人」大和解了，這不正是雙贏嗎！

◉

最後，我要說兩件事——

一、

據《三國志》記載，當曹操打敗袁紹的時候，在袁的帳棚裡發現許多書信，其中有不少是自己軍中的人與袁紹暗中通信的函件。

你猜，曹操是不是回營把那幾個吃裡扒外的叛徒宰了？

他沒有，他把信全偷偷燒了。

二、

當日本著名的企業家堤康次郎經營的「武藏野鐵道」，在一九四五年併購了

「西武鐵道」的時候。

他沒有要被他併購的「西武鐵道」改名「武藏野」，反而捨棄自己的名號，把「武藏野」改名爲「西武」。

他說他的道理很簡單——

「爲了保住被併購公司員工的面子。」

◉

記住！

當你獲勝，除了是你最能施展抱負的時候，也是最能化敵爲友的時候。人沒有永遠的敵人，最重要的是你有沒有那分胸懷和智慧，在獲勝之後先伸出友誼的手。

第四章

獨自裸睡的女子，
很可能把潛入的小偷，
變成姦殺的強盜。

捉賊記

「小尤啊！對不起，你大概正在吃飯吧！我是緊急求救啊！」錢太太在電話裡喊：「我的浴室漏水了，漏到樓下，你能不能趕快來看看？」

小尤也眞夠意思，錢太太放下電話才十分鐘，小尤就到了。

「我這裡一點都看不出，可是漏到下面去了。」錢太太把浴室的門拉開。

「八成是牆壁裡的水管裂了。」小尤只探頭進去看一眼，就說：「我到樓下看看。」於是兩個人衝到樓下張家。

「哎呀！哎呀！」張太太一開門就猛搖頭：「你們來看哪！幸虧是浴室，要是漏到別間，就完了。」

小尤也是進去抬頭看一眼，扭頭就走：「簡單啦！二十分鐘就解決。」

跟著上頂樓，先關了總水錶，再回浴室，拿起鎚子砸牆壁。

「別急！別急啊！」錢太太喊：「瓷磚都敲爛了，怎麼補？」

「這種瓷磚，我多得是。」小尤說完，搥得更狠了，沒幾下，把牆面鎚個洞，就見水往外湧。「看吧！管子破了啦！其實也不是破，只是轉彎的地方壞了，錢太太，妳放心，兩三下搞定。」

錢太太一聽，樂了，對著正看報的錢先生說：

「我就說嘛！小尤最可靠了，改天咱們重修浴室，一定找他，對不對？」

「對！對！對！」錢先生咕咕噥噥地應著。

「對！」小尤在裡面也聽到了，走出來說：「你們這浴室真該整個翻修了。你看！瓷磚都鬆了，一敲，旁邊的都動了。」說著回身，拿起榔頭的一端，往瓷磚和水泥牆之間一捅，就見劈哩啪啦掉了一堆。

「別弄了！別弄了！」錢太太直搖手：「我還沒要翻新呢！」偏偏她愈喊，小尤愈弄。兩三下，半面牆的瓷磚全掉了，而且全掉進了浴缸。

「不剷不行啦，一動全鬆了，不把鬆的剷掉，根本沒法補嘛！」小尤說：「沒想到情況這麼糟。」突然站起身：「水管已經補好，但是我得回去給妳找瓷磚，再帶包水泥過來。」

◉

看小尤出去了，錢先生起身進浴室尿尿，看浴缸裡、地上，一團亂，搖搖頭說：

「也眞幸虧有小尤，要不然，這麼晚了，眞不知道怎麼辦。」

問題是，等了十分鐘、二十分鐘，一個半鐘頭過去了，大毛、二毛都上廁所，沖水，沒水，偏偏二毛又是大便，臭得要死。

錢先生打電話過去，小尤居然不在，是尤太太接的，說小尤又有急事出去了。

夜裡十一點，錢先生也撥了電話。這次是小尤接的，卻說找不到一樣的瓷磚，要等明天。

「那我怎麼辦？」錢先生急了：「沒水啊！」

「你自己到樓頂總開關去打開就成了嘛！」小尤說，聽他那聲音，居然好像已經睡了。

「我怎麼知道哪根管子是我家的呢？」錢先生喊。

「你試嘛！這麼簡單的事。」

「你搞這麼亂。」錢太太把電話搶過去：「我們怎麼洗澡？」

「一天不洗沒關係啦！」

◉

錢先生只好拿著手電筒，上樓頂。

這是他第一次上去，才知道頂樓加建了一大半，只剩一小塊地方，橫七豎八地排著許多水管。

錢先生用手電筒一根一根地照，都是十幾年前用油漆寫的字，早模糊了，大概只有小尤這種人認得出。

總算找到了，反時鐘方向轉，轉不動，想必是開關不同，需要順時鐘方向扭。

工作完成，下樓，一家人瞪著他問：「怎麼還沒水？」

錢先生也去馬桶沖沖看，果然沒水。靈機一動，掏出手機，又上樓頂了。

先用手機打電話回家，再一個一個試。一邊試，一邊喊：「有了嗎？有了嗎？」

突然唰一聲，頂樓加建的窗子打開，有人在裡面罵：「×！幾點鐘了，你吵什麼？是不是小偷？」

錢先生嚇一跳，轉身正要解釋，被水管絆了一下，手機、手電筒全掉了，還沒來得及喊「不好」，已經狠狠地摔在大水管上，頓時失去了知覺。

所幸，立刻跑上四個人。

兩個是在電話裡發現不妙的錢太太和大毛。

一個是樓裡的住戶，上樓就罵：

「是誰搗亂？關了我家的水。」

還有一人，是警察，一邊跑一邊喊：

「你們讓開，我來抓他！」

你不可不知的人性

小尤不是說「二十分鐘就可以解決」嗎？爲什麼拖了一個晚上都沒弄完呢？

因爲他先沒想到浴室太老，瓷磚愈捅掉得愈多，最後搞得不可收拾。

小尤不是說他有同樣的瓷磚可以補嗎？爲什麼回去卻找不到呢？

大概他有，也只是十來塊，不可能一下子找到幾十塊。

看完上面的故事，你會不會這麼想？又會不會這麼爲小尤解說？

問題是，那是眞正的原因嗎？

是問題愈捅愈大，還是小尤的「心愈來愈大」？

如果你還沒想通，我就再舉個例子吧——

◉

趙太太經過水果攤，看見蘋果挺漂亮。

「這蘋果多少錢一斤？」

「五十塊錢。」

趙太太挑了幾個，正要遞過去給老闆稱，抬頭看見一盒一盒的水蜜桃。

「喲！水蜜桃出來了！」

「是啊！新到的梨山白鳳桃，甜得不得了！」

「打開來我看看。」

趙太太拿起一個，果然又香又白、又大又嫩，問老闆：

「怎麼賣？」

「一盒八百。」

「太貴了吧！」

「不貴啦！」老闆笑笑：「這麼吧！算您七百。」

趙太太猶豫了一下，打開小錢包，一邊撥弄裡面買菜剩下的錢，一邊想老公跟孩子就愛吃水蜜桃。可是再算算一盒七百，才六個桃子，一個要一百多，還是太貴了。

「太貴了！太貴了！還是買蘋果吧！」趙太太伸手把蘋果遞給老闆，突然靈光一閃，心想：「他水蜜桃可以算便宜，蘋果應該也能還價。」於是問：

「蘋果也給個折扣吧！」

「不能哦！」老闆把眉毛揚著：「蘋果已經太便宜了，一毛都不能少。」

趙太太拿著蘋果走了。

李太太也來了，一眼就看見柳橙：

「柳橙怎麼賣？」

「便宜！正是產期，一斤才十塊。」

李太太挑了幾個，正要遞過去稱，看見旁邊的蘋果：「這蘋果也不錯的樣子！」

「是啊！」

「一斤多少？」

「五十！」老闆拿起一個：「您看看日本富士蘋果，多香！」

「算便宜點吧！」李太太說：「我就不買橘子，買蘋果了。」

老闆想了想：「好吧！算您四十五吧！」

◉

請問，爲什麼同樣的蘋果，趙太太還價，一毛錢不能減；李太太還價，卻少了五塊呢？

如果你還沒想通，我再說個親身體驗給你聽——

我覺得家裡地下室有點冷，聽說美國新發展出一種在地板底下拉熱水管的「暖房系統」，就找暖氣公司來估價。

人來了，我帶他到地下室，量好了面積，也談妥了三天之後把估價單送來。

可是就在他出門之前，我靈機一動：

「欸！這樓上已經鋪好地板的地方，是不是也能換成新的系統？」

「當然！」他眼睛一亮：「把管子放在下面，從地下室的天花板上施工就成了。」跟著跑回車子，拿出一堆資料給我看。

「你就分開來估價，樓上和地下室各估一個。」我說。

三天後，估價單來了。樓上地方大得多，居然比地下室貴不了多少。

「因爲你一起作，便宜得多。」暖氣公司的人解說。

但是又過兩天，當我再找一家公司，只估地下室的時候，價錢就便宜太多了。

◉

現在你懂了吧！

當你給孩子一個玩具的時候，他立刻高興地收下。

但是如果你給他兩個，要他只准挑一個，就麻煩了，他看看這個、看看那個，最後即使決定了一個，總覺得有點遺憾。

大人更是如此。

你旅行，進藝品店，看見一個木雕，覺得太棒了，掏錢就要買。

但是抬頭，發現那邊還有幾個，走過去，嚇一跳，居然有幾百個。

你買哪個？

只怕，一個也不買了，對不對？

你不能沒有的諒解

這就是人性！

挑西瓜，要偎大邊。

挑工作，要選事少錢多的。

這都還簡單，眞正的麻煩，是當你先讓他覺得可以獲得第一等的，再給他第二等的，明明已經不錯，他卻會不高興。

前面說的修房子、賣水果、裝暖氣的人也一樣。

如果你從頭到尾都說「我只要水管不漏就成了」、「我就是要買蘋果」、「我只打算裝地下室，別的全不想。」

「他們」也就不會多想，不會「心太大」。

◉

人們的心太大，也可以說人們的貪心，常是被別人引誘出來的。

想想，如果錢太太不多說那麼一句——「改天咱們修浴室，一定找小尤。」

如果我不問暖氣公司「樓上是不是也能換暖氣？」

如果趙太太不問「水蜜桃怎麼賣？」

「對方」的心會突然加大嗎？

也就因爲他的心加大了，他希望你重修整個浴室、重裝全屋子的暖氣、買整盒的水蜜桃，於是——

明明可以簡單解決的事，也變麻煩了。

明明可以便宜的東西，也變貴了。

明明可以減價的蘋果，也一毛不能減了。

◉知道了這一點，你就要注意說話的方法，把目標先確定，別節外生枝。再不然，則要像李太太一樣，明明要買蘋果，但是先問柳橙，再問蘋果。老闆爲了賣成蘋果，自然會減價。

知道了這一點，妳也要避免遇到搶匪的時候，明明他原來的目的只是搶妳的錢，卻臨時產生歹念，變成劫財又劫色。

所以如果他看中妳脖子上的金鍊子，妳最好一把抓下來，交給他。別等他自己伸手來摘（來摸）。

更重要的是，你跟任何人合作，無論他是親戚、朋友或工作夥伴，都要情歸情、理歸理，千萬別把他的心放大了，千萬別把單純的關係污染了。

這是一門很深的學問，請看下一章。

第五章

因爲腐爛，所以生蛆；
因爲生蛆，所以腐爛。
這兩句話，都對！

愛護野雞的人

「來！我教你認識認識『雞』。」

上班的第一天，主任就把他帶到前面，隔著玻璃，看大廳裡的男男女女、老老少少。

「雞！雞！雞！雞！」主任用手指，好像開機關槍似的，一個一個指。一下子指了十幾個，全是女人。

「天哪！好幾個我看都是學生嘛！怎麼會是雞？還有，」他指指其中一個四十多歲的女人：「那根本就是中年的家庭主婦，怎麼會是雞呢？」

「雞！」主任斬釘截鐵地說：「我說是雞就是雞，那是老雞！」

◉

「我說是雞就是雞！」

這是簽證組最流行的一句話，也是大家最得意的一句話。

到駐在這個小國的領事館，他原本很不高興，來了之後才發現，小國有小國的好處。在這兒，大家更有成就感，最起碼，你可以用自己的主觀，來決定一個人的命運。

對！一個人的命運。

你看！那女人站在那兒生氣，她說她存了一大筆錢，就是要去旅行，爲什麼不給她簽證。

另一個女孩子坐在角落哭，手上抱了厚厚一落文件，證明她是應聘，還有她的房契和存摺，表示她一定會回來。

可是，沒有用。

只要我們簽證人員認爲妳可能在我們國家非法打工、假結婚、操賤業，當個非法移民不回來，我們就可以告訴妳：「對不起！妳沒通過。」

◉

當然，沒通過，隔一段時間還可以再申請，搞不好就通過了。

所以到這兒一年間，他看到不少熟面孔，有的哭了又哭，有的第二次來，就笑了。

說不定換了個簽證人員，也說不定她換了髮型和粧扮，作成良家婦女的樣子，於是騙過領事人員的眼睛。

不過說實在話，即使到今天，他已經自認爲老鳥，一般「雞」絕對逃不過他的法眼，還是有些女人，他怎麼看都不是雞，偏偏同事就不讓她們過。

同事說得好——這年頭，雞都扮成了大學女生；大學女生也有不少去作雞。

◉

但是今天，他確定同事是弄錯了。

他認識她，那是住在他同一棟大樓的女學生。他看過她抱著書上學、下學。

可是，今天卻看見她在哭。

這女學生倒不是坐在領事館哭，而是坐在他家大樓的門廳哭。

他一眼就看見了她，過去問發生了什麼事。

「我辦留學簽證，沒通過。」她手上還拿著入學許可，晃了晃。

他接過，看看，是眞的入學許可。

「混蛋！」他心裡暗罵：「是誰這麼沒長眼睛。這是眞的大學生啊！」嘴上則安慰：「別哭！別哭！改天再去嘛！說不定就過了。」

◉

那女生果然過了。

是他，讓她過的。

過的第二天，他去找那女生，倒不是邀功，而是去質問：

「是妳留這筆錢在我信箱裡嗎？這是違法的！」

女生手直揮：「沒有！沒有！絕對沒有！」

他就轉身走了，到辦公室把錢交給主管，還得到一番嘉獎。

女生自從拿到簽證，就忙著辦出國，他常見她大包小包地買東西回家。

女生也常在大廳等他，向他請教一些選課的問題。後來還有些女生的同學，一起來向他請益。

那些女生也都要去留學了，她們原來都沒拿到簽證，第二次走運，也拿到了。

女生們出國之前，辦了一個大派對，去了一大票同學。

他也去了，開著他新買的賓士跑車。

即使多年之後，他在本土服刑的時候，那鄰居女生還去看過他，謝謝他對她們「集團」的照顧。

你不可不知的人性

這個故事寫得很含蓄，希望你已經看懂了。

讓我們回頭想想，「他」是個怎樣的人。

他本來就是不正派的領事人員，一開始就打定主意收賄、收色？抑或他原來是個有為有守，又富同情心的年輕人？

他是怎麼上鉤的？

用「上鉤」這個詞，可能還太淺薄，要知道，這世界上眞正會釣的人不見得先在鉤上裝餌。他是先釣住你，再餵你吃餌，而且吃毒餌，使你上癮，終於上鉤。

前面故事裡的「女生」不正如此嗎？她沒有色誘、沒有利誘，是「他」自己去找她，問她為什麼哭的。

「他」也不是因為她行賄，而給她簽證。

問題是，慢慢的，他發現當他賣了一個人情之後，接著就有一個好處。那好處又不知從何而來，退也退不出去，最後只好接下來，而且愈接愈多，不接白不接。

我們可以這麼猜——起初女生還為他介紹自己的「同學」，請他照顧。後來，則由女生陪同他不認識的女人前往簽證處，他只要看見那女生，就心裡有數了。

於是一個帶一個，許多一眼就看出來的「雞」，也拿到了簽證。

◉

樹的腐化是慢慢腐的，人的腐化也是如此。而且幾乎所有的腐化都有個堂皇的藉口，所有的腐化都有個「人情」的外衣。

導遊每次帶旅行團去土產店，店老闆就有所表示。

起初是送瓶飲料、送包香煙，後來是送禮物、送錢。

對商店而言，這家送，那家豈能不送？不送就是失禮。

對導遊而言，這家特別多禮，那家毫無表示，人是情感的動物，自然要禮尚往來，你以後會把客人往哪家帶？

◉

管區警察，進茶館有免費茶喝、進咖啡館有免費咖啡喝。他是人民的保母，辛苦巡邏，奉碗茶、送杯咖啡，有什麼錯？那是應該的嘛！

問題是改天這警察進咖啡館，發現有少女好像在坐檯。

他是不是可能「沒看到」？

◉

醫生給病人開刀，前兩天病人家屬先包了紅包，準備了好酒送去醫生家。

大家都知道，一天當中「第一刀」最好。手術室特別乾淨，醫生護士精神特佳。

◉

大家都知道，許多醫院病床有限，常不容易住進去。

大家也都知道，醫生門診，掛滿了，只要醫生簽字，就能加掛。

請問，如果你是醫生，你對誰特別關愛？

◉

社區大樓管理員，三節都有加發、獎金，是管委會早規定，再由住戶分攤的。

但是張太太偷偷塞一千，王先生私下賞兩千，既然厚薄有差，是不是也親疏有別，管理員對所有住戶的態度會完全一樣嗎？

這就是人性，它可愛，也可惡。一個人厚待他所愛的，就表示他不厚待他所不愛的。

問題是，這當中眞正受害的是什麼人？是廣大的群眾，是這個社會，是公義與公理啊！

你不能沒有的諒解

如果前面說的還不夠清楚，我再舉個例子——

某西方國家高級社區，爲了維護社區的美好環境和面貌，成立了社區建築審查委員會，並聘調查員一名。

任何人家要改建，甚至換個大門、修個廚房，都得委員會審核水電建築工程人員的執照之後，才准動工。

有一家台灣人搬進去了，延續他在國內的習慣，要加裝鐵窗，覺得這樣才安全。

調查員說太難看，不能通過。

「主人」私下塞了個「好處」。改天，居然通過了。

◉

過些時，又有一家老中遷入，要蓋個中國式花園，聽「前輩」的話，早早就去拜了碼頭，備了禮。

也通過了。

過一陣，再有中國人遷入，要建「和室」，照方抓藥，也過了。

又過半年，再有家老中搬來，要把舊窗換新，送上申請書，別的白人同時送的，早都下來了，就這中國人的下不來。

他的申請很合理啊！只是換窗，當然沒問題。

爲什麼遲遲沒有消息呢？

是不是有種族歧視？

又爲什麼要特別歧視老中呢？

調查員在「等」什麼？

◉

中國人害了中國人，華人送禮的習性也害了自己。

你去問問美國研究所的教授，哪個不知道中國學生愛送禮。

第一天見面送禮。暑假返國探親回來送禮，過年更送禮。

這樣久了，習慣了，如果你是教授，看見一個新的中國學生第一天來，卻雙手空空地走進辦公室，你會不會有點失望？

如果你對送禮的學生多一分照顧，多一分笑容，多給一分方便，多開一扇「方便門」、「補考門」。

這代表的是什麼？

我再問一句很簡單的話：

「那些莫名其妙，只要開刀，就一定先送醫生禮物的病人，你說希望醫生給你縫漂亮一點，是不是表示不送禮，醫生就會縫醜一點？」

如果醫生確實如此，表示一定有人倒楣，表示他沒有盡責。

如果醫生不受影響，你送，又有什麼用處呢？

◉

每個人都是人，人就都有人情。

當有人問孔子「以德報怨何如」的時候，孔子回答：

「何以報德？以直報怨，以德報德。」

是啊！如果你對誰都一樣，親疏不分、内外不辨，你怎麼報答那些對你「眞好」的人呢？

可悲的是，人們走後門、攀關係的「惡質文化」也就這樣產生了。

於是不攀交情，循正途來的人，可能在門外排隊三小時，走後門的伸手遞進去，立刻就拿到了。

生重病的「小民」等三大沒病床，割眼袋的「自己人」，居然能佔一整間病房。

是誰害了大家？

害那些原本正直的官員不再正直，害原本公平的社會不再公平？

如果你是官員，千萬要拒絕收禮，免得上了鉤，在不知不覺中腐化、潰爛。

你應該學美國的稅務人員。

被突擊查稅的美國公司都知道，如果有一天進來一批人，每人手上拿了一瓶礦泉水，必是稅務局的。

因爲上面規定，他得自備飲料，連一杯白水，都不得接受招待。

如果你是老師，也該拒絕收禮。即使教師節不得不領受學生的敬意，平常也應該像美國的某些小學一樣，由學校發給家長們一封通函——

「不得送老師任何禮物。」

只有這樣，你的愛才能眞正無私，你的態度才能眞正公平，你的看法才能眞正客觀。

這是人性，我們大家都該有的諒解。

第六八章

馴獸師把頭塞進獅子的嘴裡之前，絕不會忘記先餵飽那隻獅子。

老莫的房事

老莫今天眞是高興極了，因爲老長官桑將軍要來他家參觀。

不！應該說要去他「未來的新家」參觀。

提到這新家，老莫就更興奮了，而且已經興奮了兩年多。當然也可以說那是在他沮喪四十年之後終於興奮起來。

「這全因爲老長官的愛護，我這爛房子才能改建。」老莫對桑將軍行了一個三十年前的舉手禮，兩隻破皮鞋「咔」一聲，十分有當年在第一線，桑將軍去視察時的帥勁。

「不不不！應該說你們受了幾十年委屈，國家虧待你們，到今天才能補償。」桑將軍居然過去跟老莫握了握手，還拍了拍老莫的肩膀，讓老莫的老淚差點掉下來。

在眷村改建戶夾道鼓掌歡迎下，桑將軍由黎少將陪同，走進新建大樓。

「就是這棟吧？」桑將軍一進門，就回頭問黎少將。

「是！」

桑將軍抬起頭，環視了一下大廳：「了不得！這大廳還挑高，簡直有大旅館的氣派嘛！」轉頭問：「誰設計的？」

「報告將軍！是一個建築系研究所剛畢業的學生設計的。」黎少將小聲說：「一毛錢也沒花，算他服役的工作。」又拉大聲音：「這全因爲您三年前下達的命令，讓那些學有專精的能夠各展所長。」

「設計得眞不錯！」桑將軍揚著眉說。

「是啊！報告將軍，現在那兵員已經退伍，聽說被一家建築公司重金禮聘，專接大案子，這也全因爲人家看上他設計咱們這棟大樓成功啊！」

電梯往上升，由新式透明電梯望出去，首都市中心的景觀全映入眼底。

「這眷村地點還真不錯。」桑將軍說。

「是啊！當年一片爛房子，四周全是田地，現在老市區飽和了，向北區擴張，一下子，這塊地居然成爲黃金地段了。」

電梯停在樓頂。

走出來，桑將軍深深吸口氣：「高處，空氣眞不錯。」回頭問：「這是第幾樓？」

「十六樓。」

「十六樓？」桑將軍一怔：「咱們眷村不是都蓋十二樓嗎？」

「報告將軍，您大概忘了，是上了簽呈，特批的。因爲這地基特別堅固，下面十二層又省了不少錢……」

「省了錢？」桑將軍踩踩腳下的紅色花崗岩：「這材料不差啊！」

「是啊！第一流的石材，是前線第二師去年作工事，開出來的，覺得顏色不錯，就跟石材廠合作，對半分，由石材廠免費切割打磨，所以沒花什麼錢，還省了不少。」

「真不錯！真不錯！」桑將軍推開一戶，直直走向窗口，看下面公園的風景，抬起頭，望見公園那側的白色大樓：「那樓有點眼熟，是……」

「是佛朗哥元帥住的銀宮大廈。您常去的！」

「對呀！」桑將軍想起來了，上次在元帥府打橋牌時，遠遠看見這棟大樓，還問元帥夫人是什麼豪宅呢。

「這位置、這景觀，可真不比元帥府差。」桑將軍拉開門，走到陽台，往下看，正下方還擠了一堆又矮又爛的房子。

「那批眷村就要拆了。」黎少將指著說：「是第二階段的工程。蓋在後面，八層。分配完，還剩三十四戶，由總部再分配給外面的官員。」

「還有剩？」桑將軍眼睛一亮。

「是啊！平地變高樓，地方大多了。去掉中間的綠地，還是有多的。」

「要好好分配、公平分配。」

「是的！是的！我們絕對公平，用抽籤的方式，所以頂樓這一戶，由莫士官長抽去，雖然他官階最低，也沒人敢說話。」

◉

「有人說話了。」桑將軍離開不久，老莫就聽到消息，對老婆說：「咱們的房子怕會有變。」

「公平抽籤，誰敢放屁？」莫太太一瞪眼。

「小聲點！」老莫比了比手勢：「因爲上面規定眷村改建不准超過十二層樓。這房子十六層，違了規。」

「上面批的，什麼違規不違規？」

「可是上面說有人講話了，而且都是高階領導，說咱們亂了規矩，以後別的眷村都要比照，擺不平。」

「這怎麼辦？」莫太太的臉一下子白了：「不會讓咱們落空吧？」

「我明天去打聽打聽。」老莫沈沈地說：「聽說最好的情況是咱們輪第二批，八層樓的。」嘆口氣：「八樓，也不壞了！畢竟比咱們現在的狗窩好太多了。」

◉

老莫果然得到了八樓，而且以最快的速度施工，一年就可以搬進去。

至於前面大樓，則按官階，作了重新分配。

大樓的門廳也作了更改，設置了一個警衛室，又加了錄影監視器和紅外線偵防設備。

眷村靠大樓的門封閉了，大家改走後面的巷道，據說是爲了美觀，更爲了安全。

安全確實非常重要。因爲佛朗哥元帥常駕臨前面的大樓，每次來，都七八輛車開進，又跳出十幾個保鏢。

據說他都是去頂樓桑將軍家打橋牌。

桑將軍未免太黑了吧！

明明由老莫合法抽籤分到的房子，半路卻被這個昔日的老長官奪去。而且只怕其他眷村的人，也連帶受了影響。

桑將軍是怎麼想？

他會不會想：這麼好的房子，地點好、建材好、視野好，又碰上一流建築師的設計，怎麼能給個小小的退伍士官拿去。

他會不會想：這種跟佛朗哥元帥府不相上下的房子，比我桑某人住的都高級，豈能不先輪到我，而由那老莫分去，這不是沒有倫理了嗎？

這就是人性！

「連我都沒有的情況之下，你能力比我差、階級比我低，怎能讓你先拿？」

想想以下的情況——

新聞部的主管，發現出去採訪的小記者，居然獲得採訪對象贈送名貴的禮物，他會怎麼想？他會怎麼講？

一個出眾的女孩子，發現她暗戀的男孩子，居然跟遠不如她的女同學一起拍拖，她心裡會有多麼地不平，她又會說什麼氣話？

一個繞來繞去，找停車位已經半個鐘頭的人，看見另一輛車，好死不死，才開到，就碰上有人離開，於是停了進去，他會在心裡怎麼罵？

你甚至會遇到一種人。他上車，發動，正要倒車離開，發現你開車過來，等他的停車位。環顧四周，全滿了，早先他也是繞了半個鐘頭才停進來，他該為你高興，你比他走運，正趕上他要走，對不對？

錯了！

他把火熄了，居然好整以暇地在車裡抽起煙來。還用眼角瞄你，你愈著急，他愈得意。

◉ 你讀過《史記》裡的《伍子胥列傳》嗎？

楚平王爲他的太子，到秦國去找媳婦，準媳婦找來了，居然沒交給太子。

爲什麼？

因爲那女孩太漂亮了，楚平王自己要了。

◉ 你看過報上的新聞嗎？

一個漂亮的女學生被補習班老師性侵犯，跑去向班主任告狀，班主任聽她說，愈聽愈「興奮」，自己也侵犯了那女學生。

甚至有弱智的女孩，向親友訴說被男生性侵犯，那親戚長輩居然也侵犯了這女孩子。

想必你也總聽說這樣的事——

原來專掃蕩賭場和應召站的警察，退休之後居然成了保護賭場和色情場所的人。

還有，前去抓應召女的警察，看到那女人的姿色，居然自己也伸出魔爪。

更可怕的是，宗教界的神職人員，本來聽信徒訴苦、告解，爲人灌溉心靈，他們居然也成爲了性侵害者。

◉

請別怨我寫得太毒。要知道，這都是人性。

愈是能解決問題的人，愈是接近問題的核心，也愈容易被感染，自己成爲問題。

如同涉水採蓮，手上採的是純潔無比的蓮花，腳底下卻踩著污泥。

想想，如果你是警察，發現自己日曬雨淋、早出晚歸，賺得還不如一個賭場的小弟。當你躲在「黑暗的角落」，去挖掘「角落的黑暗」的時候，發現原來不少白道的人，比黑道還黑。

你是不是容易被動搖？

◉

再想想，如果你是神父。

在那告解室裡，聽隔窗，那平日看來如此端麗高貴的女子，說出她心底的話，道出她犯的罪和秘密時，你會不會震驚？

原來人是這樣的！原來高貴不可侵犯的表層下是「這樣的」。

你是不是更了解人性、更看穿一切？

如果你「靈性」稍稍不足，是不是就要「心神搖動」？

所以，警察和神職人員，可能比平常人更容易受到誘惑。如同醫生，假使不知自我保護，反比平常人更容易被疾病感染。

你千萬不能因爲他是警察、醫生、教士，就對他百分之百地信託。

你絕不可忘記——他們都是人，不是神！

你不能沒有的諒解

是人，就有人性的弱點，就容易被誘惑，他們尤其會被那些看來唾手可得的事情誘惑。

就像前面說的，作父王的會想，這麼美麗的「秦女」，我身爲一國之主，都得不到，哪能先輪到別人？（包括他的兒子）

作長官的會想，我都盼不到這麼好的房子，你一個小士官，憑什麼住進去？

他們不會想，那是你應當得到的、可以得到的，甚至是「他讓你得到的」。

◉

要知道，這世上許多「奪人所好」的人，都有個心理背景，就是「沒有我，焉有你。」「沒有我拚命，你哪有今天？」

舉個例子，你開診所，從藥廠買來最普通的藥，加點水沖一沖，混點凡士林攪一攬，或磨成粉，塞進膠囊，就一顆一顆賣、一把一把賺。

你的護士、員工，看你一本萬利、白花花的銀子進來，他們再純潔、再忠實，時間久了，能不心動嗎？

當一個慈善組織在媒體上宣布一個活動，透露一個可憐的個案時，大筆的善款就滾滾而來。

沒錯，在這組織中的都該是有愛心的人，但是人畢竟是人，當他看那善款多得驚人，而他自己的薪水卻捉襟見肘的時候，他能沒有不平嗎？

如同前面說的，他會想「沒有我爲你們這些可憐人登高振臂，你哪可能有今天？」好比桑將軍想「沒有我爲你們爭取，你們怎可能眷村改建，建得如此漂亮？」

在這心態之下，如果財務不健全，當然容易出問題。

◉

人性是要先知道，再去諒解的。

當你了解這可悲的人性的時候，不要往反方向去猜忌每個人，而應該往合理的方向去想，應該如何避免弊端的發生。

基督教《聖經》裡載得很清楚——

「牛在場上踹穀的時候，不可籠住牠的嘴。」

猶太社區有個共識——

教堂裡教士的薪水不可低於一般教友。

美國警察界有個規定——

退休警察仍然可以領十足的薪水，但是只要你與違法組織掛鉤，不但要被抓，而且從此一文錢也領不到。

馬戲班的馴獸師有句格言——

「在你把自己的頭塞進獅子的嘴裡之前，別忘記手裡握著鞭子，以及先餵飽你的獅子。」

請想想這些道理。

第七章

大家都說她是會飛的巫婆，她就被綁上柱子燒死。

超級天才的研究

「于直這次得獎，不但是你們欣欣社區的榮耀，也是本縣的光榮。本人相信于直高一能得到全國科學競賽的冠軍，過不了十年，他一定會是諾貝爾獎的得主！」

縣長的話還沒完，禮堂裡已經響起如雷的掌聲。

就在掌聲中，縣長把金牌掛在于直的脖子上。接著又抬來一個兩尺高的大銀杯，先高高舉起，再交給于直，還給于直一個緊緊的擁抱。

台下的掌聲就更瘋狂了。

◉

今天確實是欣欣社區瘋狂的日子。從于直代表學校參加省賽奪冠，大家就開始注意，甚至私下猜于直只是運氣，以這欣欣社區欣欣中學的水準，絕不可能在全國大賽得獎。

所以，當全國初賽、複賽，于直都過關，而且去首都參加決賽口試的時候，全社區都轟動了。

不但學校每天向學生公布最新的比賽消息，社區報紙也天天以頭版頭條報導，當第一名的消息傳來，甚至發了號外，並且一搶而空，這是社區辦報以來第一次的號外呢！

表揚大會結束，記者還纏著于直不放。更有那成群的小女生尖叫著要于直簽名。幸虧校長聰明，一聲「抬」，叫幾個壯碩的大男生把于直抬了起來。高高的，像是坐八抬大轎似的衝出人群。

◉

校長最近眞是興奮極了，因爲原本藉藉無名的欣欣中學，出了個全國知名的人物，水漲船高，學校也一下子身價百倍了。

沒有好老師，哪能發掘出這麼好的天才；沒有好校長又如何領導出好的老師？信不信由你！最近欣欣社區的房價都上漲了，好多附近鄉鎮的人家，都在打聽房子，要搬過來。道理很簡單——送孩子進超級名校。出超級天才的學校，當然就是超級名校！你不見全國媒體都來報導欣欣中學嗎？你不見縣長妹妹一家都搬來了嗎？

◉

當然，超級天才也一定出身超級家庭。

自從于直得獎，于家的客人就沒斷過。除了記者、要求于直掛名的補習班、慕名而來的居民，崇拜英雄的小女生，甚至有媒婆和不要臉的家長，要為于直說親。

于媽和于爸可樂壞了，尤其于媽，每天編一套——于直小時候吃多少個月的母奶、懷孕的時候怎麼作胎教、平常給于直吃什麼、看多久電視、睡什麼枕頭、喝什麼飲料。

據說已經有出版商要為于媽出書了。

◉

說來還是于直夠直，也夠實在。他很少說話，把門一關，自己看自己的書，做自己的研究。

提到于直的研究，大家可眞好奇極了。于直不說，只知道他找了很多參考資料，還總是上網、寫信、打電話，好像在向全世界的專家請教。

他也總是拿個小儀器在四處串，甚至要求進入別人的地下室採集標本。當然，那些被他「登門」的人家，必定倒屣相迎。甚至把堆在地下室的家具、雜物搬開，好讓于直作研究。

「你下次得獎，我們會不會沾光啊！」每家的大人都問：「會不會也被帶上一筆呀！」

大家甚至要于直在地下室的牆上簽名，表示于直「到此一遊」。

◉

經過三個多月，于直終於透露他研究的內容了。

也不是于直透露的，是他物理老師說的。他物理老師其實對于直研究的東西根本不懂，也沒幫上任何忙，只是爲了邀功，向于直打聽到一兩句，就說了出去。

「于直研究的非常尖端，是一種氣體，叫作氡氣，是化學原素，符號爲Rn，有醫療價值。」

嘩！這下子就更轟動了，那些被于直造訪過的人家紛紛打聽自己家是否就有這種寶貴的「氡氣」。甚至外地有人專爲此，到那些人家，要求在地下室待待，以求獲得靈氣灌體，治病強身呢！

◉

于直採樣，據說是送到美國國家實驗室檢定，於是又有人說欣欣社區要發了，好比地下挖到了石油，這稀有的可以治病的氡氣，就將使欣欣社區的土地身價萬倍了。

「不要這麼想嘛！」于直有一天對于媽抱怨：「爲什麼都想發財呢？氡氣是有放射性的，我是在研究有沒有害，不是研究能不能發財。」

隔兩天，校長就把于直和他的物理老師請去。

「聽說咱們社區的氡氣有放射性？不會吧！」校長問。

老師沒吭，他一點都不懂，看于直。

于眞點了點頭：「對人體有害，可能會造成癌症。」又笑笑：「不過我還在研究。」

又過幾天，縣長也派車來了，把校長和于直請去辦公室。

「聽說你研究的氡氣，可能對人體有害？」

于直點頭：「昨天我收到化驗結果，沒錯！而且有些人家的濃度相當高，氡氣多半在地下室，成了『輻射屋』。」十七歲的大男孩一副「捨我其誰」的樣子：

「我就是爲了大家的健康而作這個研究。」

縣長和校長的臉色都變了，縣長低著頭沈默一陣，起身，拍拍于直的肩膀：

「好青年！好青年！你研究得眞是好極了，先別說出去，好一鳴驚人。」

校長也拍拍于直肩膀：

「天才，你的報告在發表之前，能不能先給我看看哪？」

◉

于直果然把厚厚一疊報告交給了校長。

只是報告到了校長手裡，就石沈大海。

「我的報告呢？」于直憋不住了，跑去問：「全國科學大賽就要送件了。」

「不急！不急！到時候我們幫你寄。」校長哈哈大笑著。

還是于媽消息靈通，知道于直的報告送到了欣欣社區管委會，社區還特別爲此開了個秘密會議。

「那些傢伙挺神秘的。」于媽說：「還不准我多問。這是我兒子的研究，是全社區的榮耀，我當然要問。」

話才說完，社區委員會的主委，就在校長的陪同下登門拜訪于媽了。

拜訪是在于直上學的時候，于爸還特別爲此趕回家。大家關門談了兩個多鐘頭。

于直回家，于爸于媽又跟兒子談了半天。先關著門，沒聲音，突然聽見父子對吼——
「我當然要寄！我當然要寄！」
「我不准就是不准！」

◉

于直的報告沒拿回來，雖然存的有底，他也確實沒寄。

因爲縣長和校長都建議他，深入研究研究，準備得更完善之後再參加隔年的比賽。還說要爲于直成立個特別獎學金，支持他上大學、研究所，一直到博士班畢業。

只是，沒過多久，校長就調到南部去了。

縣長的妹妹也搬走了。

連物理老師都不見了。

欣欣社區變得眞快，住戶一下子搬走一大批，換成想上「超級名校」的一批新家庭搬進來。

可惜的是于直也搬走了，因爲縣長幫于爸介紹了新工作。

于直的論文始終沒發表，倒是用那份研究申請進入名校，而且一路上去，拿到了博士。

他沒拿欣欣社區的特別獎學金，也沒再回過欣欣社區。

因爲欣欣社區已經不見了。

你不可不知的人性

于直不是超級天才嗎？爲什麼他辛苦半年多作出的研究報告，沒能參加全國比賽呢？

縣長、校長不是把于直捧上天了嗎？爲什麼後來對他改變了態度？

因爲于直發現社區有爲害人體的「氡氣」，要是傳出去，房價就要大跌了。他的發現，對社區確實不錯，使大家知道「避之爲妙」，所以知情的人壓著他，不要他走漏消息，一個個把房子高價脫手，逃之夭夭。

往簡單的地方想，這故事反映的是自私的人性。但是，向深一步探索，則呈現了幾個非常殘酷的問題——

什麼是公理？什麼是眞理？什麼是正義？

◉

「公理」，顧名思義就是「公眾認爲的道理」。

問題是，多少人是「公眾」呢？

一個十億人口國家定出的法律是公理；一個十萬人口國家定出的法律也是公理。往更小的地方想，一個家庭裡可能也有他家的公理，一個法律到不了的鄉村，可能有他村民的公理。

可不是嗎？

想想！巴基斯坦一年有多少女人被她的父兄、丈夫甚至其他家人殺害。那是私刑，只爲了女人壞了家風。

想想！在過去中國的鄉村，當一個婦人通姦被抓，放進竹籠，拋到水裡，等一炷香的工夫，再拉上來，是活是死，全看造化。

是誰下的令，認爲可以這樣處決？

是宗族裡的長輩！那幾個人只因爲多活幾年成了「族長」，就能決定晚輩的生死。

再想想，許多西方人的船上都掛個牌子，寫句話——

「船長的話就是法律。」

這句看起來像開玩笑的話，難道不是眞理嗎？

連在一輛車上，那司機的話都可能成爲法律。

◉

說個故事給你聽：

有一年我在某鄉間坐巴士，車子前面掛個大牌子——「禁止吸煙，違者罰款」。

突然傳來煙味，我舉目張望，一車人都沒抽煙，最後終於找到了，是司機在呑雲吐霧。

那時候年輕氣盛，我立刻喊：「對不起！車上不准吸煙！」

你猜反應如何？

居然全車人都不吭氣，非但不吭氣，而且看那司機不聽，竟有人說：「司機可以抽煙，他辛苦，讓他抽吧！免得他精神不好，出車禍，大家都倒楣。」

話才說完，一車人都附和。

請問，這車上的「公理」到哪裡去了？

但是細想想，公理、公理，那車上的乘客不是「公眾」嗎？他們說的不是「公理」嗎？

法律是人定的，人既然會變，法就不可能永遠不變。

當大家都認爲太陽繞著大地轉的時候，伽利略提出「地圓說」，講地球繞著太陽轉，儘管他說出的是「眞理」，卻被關進監牢。

所以公理不見得是眞理。

公理常常只是人們自認爲對的道理，尤其是對他們有利的道理。

現在我們觸及更深的人性，也就是——

他愛的，不見得是他最欣賞的；他選的，不見得是他認爲最對的。

想想，一對夫妻養了個頑劣兒子，他們氣不氣、恨不恨？但是當那兒子犯了案，有幾個爲人父母的會不包庇自己的孩子？

否則爲什麼法律規定父母不能爲子女作證？

再舉個例子，妳的愛人犯了法，逃到妳那兒，妳把他臭罵一頓，罵他糊塗，但是如果妳愛他，妳會不會藏匿他，甚至幫他逃亡。

請不要唱高調！

今天我們談的是人性，人確實可能大義滅親，但是這世上有幾個人眞能做到大義滅親呢？把太保兒子送進少年隊管訓，把犯法的孩子送去自首關上兩年還有可能，當外面警察荷槍實彈，當他犯了必死的罪，有誰會把自己孩子推出去？

所以我說「你愛的不見得是你欣賞的」。

◉

同樣道理，因爲你的利益和立場，你「選的」也可能是你認爲「不對的」。

想想！

爲什麼選舉的時候，候選人會大開競選支票？

爲什麼候選人明明知道抽「證所稅」是對的，卻沒人敢說，他當選之後就要開徵？

因爲股票族太多了，他得罪不起，他不能失去他們的選票。

問題是，即使股票族，他們又難道不曉得買股票賺了錢應該繳所得稅嗎？他們當然多半知道，知道這才是「賦稅公平」。問題是，如果你是股友，你會選那主張抽證所稅的人，改天就繳一大筆稅嗎？

◉

談到選舉，族群認同也有很大的影響。

尤其是少數民族。

爲什麼美國足球名將「辛普森殺妻案」，辛普森敗了民事訴訟，卻贏了刑事訴訟。

道理很簡單，抓他的警察過去有歧視黑人的紀錄，而辛普森有黑人血統，陪審團裡有黑人。

爲了保護族群的利益，尤其爲了顯示少數族群的力量，人們往往以「立場」選擇，而且不惜選他認爲不對的那一方。

◉

談到少數民族，再讓我們看看美國。

這個自以爲最民主，連鈔票上都印著「IN GOD WE TRUST」的國家。白人對黑人歧視不歧視？

如果一個白人社區搬進了黑人，他們會怎樣反應？

如果白人社區出租房子，來了黑人要租房子，他們會怎麼說？

但是當你問白人「人是不是生而平等？」「我們是不是都是天父的子女？」

他們是不是想都不用想就說「當然！」

你不能沒有的諒解

許多事，人都知道「當然」，只是臨到自己頭上就不再當然，否則美國的印第安人不會過得那麼苦，甚至台灣的原住民也不至於平均壽命遠在「平地人」之下。

他是少數，他當然比較沒有發言權，他當然得「少數服從多數」。

什麼叫多數？什麼叫少數？

今天在荒島上，只有三個人，兩票對一票，就是多數對少數。

今天在中世紀的歐洲，一群村民指著一個女人說她是女巫，就是多數對少數，那女人理當綁在柱子上燒死。

古人說得好——

「千夫所指，無疾而死。」

當所有的人都說你該死的時候，就代表著「公理」說你該死。當你處在只有千人的團體裡，千人都說你錯，你明明是對，在那個團體裡，在那一刻，你也成了錯。

這正是我希望你不能沒有的諒解。

人都是自私、利己的，當你損及他的利益時，明明你對，他也可能說你錯。他雖然可能「不得不說你對」，卻聯合著他的利益關係人一起排擠你。

你是一個新進的警察，剛到一個單位，月底同事交給你一筆錢，你問「這是什麼錢？」

「錢！」他說：「拿著就好了，不必多問。」

如果你非問不可，問個水落石出，還把錢繳了上去，上面給你記個功。

下一步，你又如何？

如果你是個新進的記者，去採訪影劇新聞，臨走人家塞給你一個紅包，你把錢交給公司，一次、兩次、三次，最後只怕你的長官要問「別人跑這一線，都沒紅包拿，爲什麼獨獨你有？」

他的下一句話是「我以前跑新聞，沒繳上去一文；以後別人跑這條線，是不是也都該有上繳的紅包？」

如果你這麼正直，你還能不能混？

◉

是的！人性太可悲了。

「好高人愈妒，過潔世同嫌。」古往今來多少高潔的人就這麼不明不白地「沒落了」（死了？）！

問題是，我們難道就因此不能伸張正義，而「隨波逐流」、「同流合污」嗎？不！我建議你在那種「以少敵眾」的情況下，先把「剛直」變爲「委曲」。「委曲」是爲「求全」，求全是爲了伸張正義。如果你自己都保不住自己，如何能東山再起？又如何能反敗爲勝？

所以，如果船長不講理，你在船上要聽他的，上了岸再回頭講理；如果單位裡黑，道不同不相爲謀，你就應該求去，或默默爬上去，再由內部改造。

既然「公理」是「公眾之理」，你就要爭取群眾，使群眾站在你那邊。

你不必以血肉之軀跟別人的汽車相撞，而應該先坐上火車，再去與他抗爭。

◉

寫了這許多，我要告訴你的是：每個人都從他的本位、他的家庭、他的族群、他的認知、他的國家的角度看事情。

每個國家，無論她自認爲多麼民主自由，她還是用她的角度在看世界，她的政府代表她的人民，爭取的是她人民的利益。

所以無論你多麼對，當你的利益與她國家的利益相衝突的時候，被犧牲的一定是你。你更千萬別以爲他們只要換個總統，政策就會大轉彎，否則你必是「癡人說夢」

我也要告訴你：

在大船上，你可以跑步、跳舞，甚至在甲板游泳池裡戲水。

在小船上，你甚至不能站起來。

做爲一個人，你要認清你在什麼船上，你周圍是怎樣的乘客，你擁有多少同舟共濟的朋友，以及「你離岸邊有多遠」。

最後，再說一次：

他愛的，不見得是他欣賞的；他選的，不見得是他認爲最對的。

公理不見得是眞理；公理也不見得是正義。

多的划算，大的吃香！

這就是人的世界。

第八章

因爲愛，所以牽腸掛肚；
因爲牽腸掛肚，所以愛。

是誰惡作劇

才出電梯就聞到一股臭味，而且愈走近家門愈臭。突然看到一團大便，和旁邊的一條小黃狗，芳芳尖叫了起來：

「誰的狗？」

「是啊！誰的狗？」對門李太太把門打開，摀著鼻子喊：「不是妳的狗，是誰的狗？臭死了！」

「不不不不！不是我的狗，我沒有狗。」芳芳直搖手。

「那一定是人家送妳的，不然怎麼會綁在妳的門上。拜託拜託，快清一清吧！大家都臭死了。」

說完，李太太就把門用力地關上。

「喂！喂！」芳芳伸著兩隻手怔住了，突然又大聲尖叫了起來，因爲下面小狗居然過來舔她的腿。

芳芳把皮包一甩，解開門把手上的繩子，把小狗往電梯拉，那狗居然不走，四隻腳撐著不動，被芳芳拖得在地上滑。

「妳虐待小動物。」正巧焦先生下班回來。

「這不是我的小動物。」芳芳喊。

「不是妳的也不能這麼對付啊！」

「你同情你帶走好了。」

砰！焦先生把門關上了。接著門又開了，跑出大毛和二毛，說要看小狗。

「髒死了！回來！」兩個孩子又被焦先生吼了進去。

「哎呀！哎呀！」李太太接著出來了，一邊貼著牆走，一邊叫：「不要拖牠了！拖了一地屎，臭死了！」

芳芳才發現小狗經過那團大便，搞了一身，又拖了一長條。再拖，那大便一定拖得更長，而且一定搞得滿電梯都是。芳芳想去把小狗抓起來，又怕弄一身的狗屎。

還是焦太太心腸好，居然一聲不吭從屋裡提了一桶水出來，又在手上各套一個塑膠袋，拿紙把小狗腳上的屎擦掉，再沿著「一路」擦地上的狗大便。

「我來！我來！」芳芳追過去。發現紙不夠，趕緊掏鑰匙開門進去拿，好不容易弄乾淨了。「欸！小狗呢？」

小狗不見了，大概自己跑下樓了。

芳芳向焦太太道了謝，又抱怨了一番，進門，坐在沙發上喘氣。

突然看見一條繩子，從茶几後面伸出來。天哪！茶几上可是芳芳傳家寶的康熙青花瓷器。

芳芳不敢動，撥電話向同事小趙求救。

「不能動！不能動！」小趙在那頭喊：「我馬上到。」

◉

小趙果然接著趕到，還帶了狗鍊子和狗項圈。

「你可眞周到。」芳芳苦笑著說。

「養狗嘛！總不能用繩子，像什麼話？」

「我才不養狗呢！」

「喂！」小趙鼓起眼睛、舉著手：「妳可千萬不能不養喲！這事我懂！狗來富！牠沒進門，沒關係，既然進了妳的門，妳再往外推，可就嫁不掉了。」

芳芳素來迷信，一聽會嫁不掉，急了！「怎麼辦？」

「怎麼辦？」小趙笑笑：「養啊！狗連名字都有了——來富。」

◉

在小趙的指導下，來富去寵物店洗了澡，又打了針，拿回一個小本子，登記了下一次打針的時間。

「等大一點，還要回來在脖子上植入晶片。」寵物店的老闆說，接著抱了兩包美國進口的狗食出來，又開了一劑眼藥：「每天早晚給牠點，眼睛有發炎的現象，不小心還會傳染給妳。」

芳芳沒被傳染，倒是從來富進門就感冒，渾身痠痛、噴嚏連連。

看醫生沒用。又去看了兩次，醫生叫她轉敏感科，才知道是對狗敏感。

從此每星期芳芳都得去醫院，挨一針「抗敏原」。

◉

來富吃美國狗食，長得快，大概長牙，發癢，把芳芳的皮沙發咬破了。

芳芳去寵物店買了個「假骨頭」給來富啃。

來富在屋子裡亂尿。

芳芳接受獸醫建議買了專防狗尿尿的噴劑，在屋子的每個角落噴。

來富常憋不住，沒等芳芳下班，就在客廳裡大便。

芳芳只好一下班就衝回家，牽著來富去散步、方便。

來富頑皮，常衝來衝去，有一天把沙發前面的地毯衝起一個角，芳芳沒看見。

第二天大家都看見芳芳頭上包著紗布。

◉

來富大了，有一天夾著尾巴發出奇怪的聲音，芳芳發現地毯上有血跡，嚇一跳，送去獸醫院。

「牠發情了。」醫生說：「要不要閹？」

閹母狗比公狗貴得多，芳芳足足花了八千塊錢。

八千塊還不夠，來富的傷口老不封口，還流膿水，又去看，說是來富舔的。醫生重新拆線、清洗、縫好，又爲來富套了個大大的頭罩，芳芳再花了五千。

這還不打緊，來富套了頭罩，固然沒辦法回頭舔傷口，卻也看不清路。而且傷口一定又癢又痛，夜裡嗚嗚叫，害芳芳連著好幾天睡不好覺。

這天半夜，先聽見來富哭，接著是來富叫，再接著「帕」一聲，芳芳從睡夢中驚醒，往客廳衝：

完了！康熙青花瓷碎了一地。

芳芳狠狠給來富幾巴掌，坐在地上「哇」地哭了起來。一邊哭一邊指著來富喊：「我不要妳了！妳這小混蛋！」

◉

就這麼妙，第二天周休，一早有人按鈴。

打開門，是兩個國中的小女生。

「妳是不是有一隻黃狗？」一個小女生問。

「是啊！」

「那是她的。」另一個小女生指著問話的女生說：「是我送她的。」

「她送錯地方了，我家是一一三號，她送到妳這一三一號。」

「我拴在了妳的門上。」

「妳們爲什麼不早來問？」芳芳板著臉問。

「我因爲轉學，搬很遠，所以把狗送她，她說沒收到，我今天特別跑來，才弄清楚，是送到妳家了。」

芳芳一笑：「是隻混蛋狗，牠昨天夜裡才打破我的骨董花瓶，最少值八十萬，妳們賠得起嗎？」

「賠不起！」兩個小女生面面相覷地說。

「賠不起就是我的狗了！」芳芳砰一聲，把門關上。

你不可不知的人性

芳芳不是討厭那隻狗，死拖活拖地想把牠扔出去嗎？

雖然因爲迷信，怕壞了自己的姻緣，而勉強把「來富」留下。但是她對狗敏感，每個星期都得打針。這狗又那麼麻煩，花掉她不少錢，害她摔得差點破相，甚至把她的傳家之寶打碎。

當那兩個孩子上門的時候，芳芳應該高興物歸原主啊！爲什麼她反而對兩個孩子凶，硬把來富留下呢？

道理很簡單！

因爲她已經付出了那麼多，因爲她已經愛上了來富。

這就是我們今天要討論的人性——

愈愛愈愛；愈不愛愈不愛。

◉

談到愛，我們不得不佩服造字的老祖先。

「愛」這個字，是在「受」字中間加個「心」。

「受」的象形字是「[illegible]」，上面一隻手，下面一隻手，中間一個盤子。

盤子裡放上「心」，就是「愛」。

也可以說「愛」是「你接受我的一顆心」。

◉

你或許要問，「受」是「接受」，你接受了一顆心，必須還回去一顆心，才是愛。爲什麼沒看到「歸還一顆心」呢？

這麼說，你就是不懂愛了。

施比受更有福，愛是「施」的，它絕大部分表現在「付出」。

你會因爲付出愛，而愈去愛。卻不見得因爲「愈得到愛，而愈去愛」。

不信你看，那一兩歲的孩子，走還走不穩呢，就已經會愛「寵物」。

他們會抱著小貓小狗親；再大一點，他們會餵寵物吃東西；又大一些，他們甚至會牽小狗出去散步，爲小貓換屎盆裡的貓砂。

當有一天，他們的寵物死了，他們一定傷心得不得了。

一個七八歲的孩子，父母死了都不一定哭，寵物死了卻可能傷痛欲絕。

爲什麼？

因爲他們對寵物付出了愛，他們花了時間、力氣，去照顧那些寵物，卻不曾花時間照顧爸爸媽媽。

愛就是這麼不公平。

他不付出，他就不愛。

父母從小照顧孩子，付出的多，所以父母愛子女，遠比子女愛父母來得深。

◉

不但對人、對寵物如此，對植物、東西也一樣。

你在園子裡種大蒜，順便給孩子一瓣，由他自己找個地方去種。

蒜發芽了，你會發現孩子每天都去照顧他自己的那一棵，卻不來看你的；他來看，也只是來「比」，比比誰種的比較好。

到有一天，你要摘蒜苗吃，你摘你種的，他沒意見；但是你要摘他的，可就麻煩了。

爲什麼？

因爲他花了心血，因爲他愛他種的那一棵。

◉

你的孩子喜歡在牆上塗鴉，而且把髒手印印得到處都是。

你怎麼罵，他都不聽。

但是有一天，你要他拿著刷子，去漆他自己的房間之後，他卻可能寶貝得不得了，甚至警告到他房間玩的小朋友：

「別弄髒我漆的牆！」

爲什麼？

也因爲他花了心血，因爲他愛他漆的牆。

你不能沒有的諒解

愛是非常褊狹，而且難以捉摸的。

他養鳥，你養蟋蟀，他的鳥吃了你的蟋蟀，他沒感覺；搞不好，還說句風涼話：「你養的蟲本來就該讓我的鳥吃。」

但是反過來。

他養蟋蟀，你養鳥，你的鳥吃了他的蟋蟀，就變成殘殺。

他就跟你吵。

◉

愛也常常只因爲「多那麼一點點」。

一個從來不集郵的孩子，你給他一張漂亮的郵票，他不見得感興趣。

但是當你給他一大包郵票之後，他會要你再買個集郵簿。

從此，你的信，還沒拆，可能已經缺了角——

郵票早被他剪去了。

◉

收藏家不都是如此嗎？

有人專收火柴盒、有人專收紙鎮、有人專收名人簽名、有人專收茶壺，甚至有人專收牙齒，管他是人牙、狗牙、虎牙、象牙、沙魚牙，他見牙就收。

如果你問他是怎麼開始的。

他可能說：

「哎呀！也是巧合，有個朋友從非洲來，送我幾顆野獸的牙，我覺得滿有意思，以後見牙就收。朋友知道我『愛牙』，有了特殊動物的牙齒，也送給我，愈收愈多，後來爲了一個自己沒有的牙，甚至不惜花大價錢買，十幾年下來……」

這不也是「愈愛愈愛」嗎？

他原來只比別人多那麼一點點，因爲那一點點，使他更關心；又因爲更關心，而有得更多；又由於有得更多，而更貪、更愛。

◉

了解了這一點，你要一個人愛一個人、愛一隻寵物或愛一樣東西，都不難。

只要你製造機會，使他付出。

他不愛與人交往，你偏交給他一個學弟或學妹，要他帶。

他起先很不自在，甚至很不願意，但是漸漸地，他愈帶、愈愛帶。

同樣的，一個上某一門課的學生，剛開始的時候，表現得比別人好一點點，被老師讚美幾句，他可能從此就努力表現；改天，他升級，換了老師，那老師沒發現他特殊的才華、沒給他特別的關愛，他又可能「摔下來」。

這則是因爲「愈不愛，愈不愛」。

◉

人會因爲親近而更親近；也會因爲疏遠而更疏遠。

原來的好朋友，久不見，雖然住在同一個城市，不知爲什麼，他沒聯絡你，你也沒聯絡他。

久了，你猜他變了，他也猜你變了；你怨他不找你，他也怨你不找他。

但是當有一天，偶然相遇，卻可能發現彼此都沒變，一下子，又成爲好朋友。

親戚更是如此。

久久不來往，就忘了舊情，多了猜忌，或是想「他發了，犯不著去高攀」；或是想「不在同一層面，也不必多來往」。於是偶爾接到他電話，便冷冷淡淡地回過去，他也冷冷淡淡地回過來。

但是當有一天，老人死了，晚輩結婚了，大家不得不聚在一起哀悼、觀禮。一起聊聊天、敬敬酒、談談近況、感嘆一下人生，突然覺得彼此有那麼多相似的地方，大家有那麼多共同的回憶。

於是電話勤了，見面多了，疏遠已久的親人又相互走動了。

◉

政治不也如此嗎？

兩岸分隔久了，彼此都以爲對方「跟自己不一樣」。

在對立的時候，這邊說那邊吃樹皮草根、不愛爸爸、不愛媽媽；那邊說這邊吃香蕉皮長大，是美帝的走狗。

當有一天，兩邊都發現對方過得不錯，而且說一樣的話、過一樣的節、拜一樣的神的時候，甚至有一點驚訝。

有什麼好驚訝呢？

那驚訝是因爲不了解。

那不了解是因爲阻隔久了。

愈不愛，愈不愛呀！

◉

多麼可悲又可愛的人性！

化解「愈不愛，愈不愛」，最好的方法就是「愈愛，愈愛」，好比芳芳和她的寵物。

付出、付出、再付出。居然把一個原來最厭惡的對象，轉變爲最親密的伴侶。

而今兩岸彼此付出了多少？

讓我們掩卷深思！

第九章

一審照法辦，二審判一半；
三審更發審，四審全不算。

會抽煙的長頸鹿

「你對我下毒，我跟你拚命！」

「保衛鄉里，絕不讓步！」

「誓死抗爭，永不低頭！」

五百多位和平村的居民，聚在工地前面的道路上，作了不和平的示威。

砂石車過來了，人群立刻迎過去，由周村長帶頭，還拉著兩個八九十歲的老阿媽，用胸口抵在砂石車的車頭。

挖土機過來了，看情況不妙，一轉頭，開下道路，繞到工地後面，立刻有村民追過去，更有個不怕死的年輕人衝到前面，往地上一躺，嘶喊：「你壓啊！先壓死我！」

警察趕來了，想辦法疏通村民：

「這是合法申請，經環保部門審核通過的。」

「我們絕對不會製造噪音，更不會汙染。我們的工廠絕對是經過國際認證的……」工廠代表也出來喊話：「而且我們要回饋和平村，我們要……」

一團糞便，咱一聲，正打在代表的臉上。

民眾愈聚愈多了，五百多人成了一千多人，由周村長帶頭喊抗爭口號，大家聲音愈來愈大，情緒也愈來愈激動，有人甚至提了一桶豬血來，先潑在砂石車上，又爬上車，弄得一臉一身，全是鮮血，站在引擎蓋上，舉著雙手吶喊：「我們誓死抗爭！」

群眾一下子安靜了，多半的人都被這鮮血的畫面嚇到。接著，鮮血勾起人們原始的反應，每個人的眼睛都紅了，怒吼像排山倒海般湧來，砂石車的司機嚇得車都不顧了，跳下車往回跑。

警察也怕了，迅速地撤離，「狗腿民代」和工廠代表更急著跳上車，一溜煙，不見了。

怒吼一下子變成歡呼：

「我們勝利了！」

◉

村民並沒被勝利沖昏頭，他們擬定長期抗爭的戰略，先用車子把道路擋死。再搭了一個大棚子，輪班看守。

他們知道那工廠一定不會死心。

果然第二天，又開來兩輛車。

只是還沒到，就被守候的村民發現，一聲吶喊，村子裡跑出近百人，那兩輛車就嚇跑了。

又過兩天，工廠找了狗腿民代過來說情。周村長拒見，四周一堆大漢扠著腰，把狗腿民代也嚇跑了。

接下來，居然沒了動靜。連那輛砂石車，也被偷偷開走了。

他們眞退了。

當然！看我們這麼凶，不退行嗎？

◉

於是大家又回復了原來平靜的生活。

早上，孩子們又可以在田間的馬路上騎著腳踏車去學校了。

大家不必怕砂石車呼嘯而來。

雖然夜裡偶爾會聽見車子的聲音，畢竟那些車子開得慢，而且路上沒人，沒人會在意。

那工地裡安安靜靜的，四周早架好的鐵皮圍牆裡，只傳來零零星星的一些聲音。

有村民過去看，回來笑笑：「他們改建公園了。」

果然，沒多久，一角圍牆打開，裡面是個漂亮的遊戲場。

全是最新式的兒童遊樂器，花圃裡繁花盛放，池塘裡錦鱗優游。

孩子們高興極了，每天一放學，全往那兒跑，大人們也常聚在池邊聊天。

遊樂場圍牆的後面還在施工，有人猜是要建溜冰場，也有人說要開發爲度假村。

不久，就見一個長頸鹿的脖子高高地伸了出來。

那長頸鹿畫得眞美，一塊塊橘紅色的斑紋，襯在藍天白雲的背景上，鮮艷極了！

只是又過一陣，長頸鹿的頭上開始噴煙，雖然煙不大，但是很臭，藍天一下子不見了。

周村長過去作了抗議。回來說工廠會改善，而且眞的要再蓋一個溜冰場給和平村。

溜冰場不久就建成了，爲了防紫外線，居然還有頂子，高高大大的屋頂與後面幾棟廠房構成一個整齊的圖案。

別說和平村了，連附近其他村的孩子也常跑來玩。

只是外地來的孩子畢竟不如和平村的，他們不適應，常在玩回去之後，有頭暈喉嚨痛的問題。

當然也有外地人問：「你們不覺得臭嗎？」

「沒覺得吔！」「大概習慣了吧！」村民們都這樣回答。

不是「誓死抗爭，永不低頭！」「保衛鄉里，絕不讓步」嗎？不是上千位村民舉標語、喊口號、攔路阻擋，甚至「以身相殉」嗎？爲什麼一切都好像還是昨天的事，突然態度全變了呢？爲什麼原本好像不共戴天，一下子又勾肩搭臂了呢？

答案很簡單——

因爲工廠的人知道人性，他們不再正面衝突，而採取了迂迴的方式，他們暗渡陳倉，在夜裡偷偷地運貨；又使用懷柔的手段，先爲村民蓋個遊樂場。

他們在「苦藥」的外面包了「糖衣」，在煙囪上畫了長頸鹿。

這叫做「浸潤」，也叫做「蠶食」。慢慢的浸潤總比大水淹沒來得柔和；一點點地「蠶食」，也當然比「鯨吞」來得安靜。

◉

當你到公園去的時候，是否常發現大部分的樹都整整齊齊，一排一排，偏偏在一個不應該的位置，「突兀」地長著一棵樹。

你要是問公園管理員，他可能回答：「那是自己長出來的！」

你問他爲什麼任它長，不早早拔掉。

他可能答：「拔了！年年拔！」

對！他沒說謊。

春天的時候，好多小樹苗的種子會萌發，這邊一棵、那邊一棵。

公園的管理人員當然會在除雜草的時候，把那些小樹苗也拔掉。

但是可能有一次漏拔了一棵，隔一陣，長高些，又拔，卻只拔掉了枝葉，沒拔出根；再隔一陣，還去拔，拔不動，只好用折的，把小樹幹折斷。

偏偏那樹也頑強，從折斷的地方又發出枝子，而且愈長愈粗。

漸漸地，你就會發現園丁對那小樹已經「視而不見」。小樹成了氣候，園丁總見它在那兒，看順了。

於是，小樹長成大樹，它成爲園子裡「當然的一員」。

◉

每個人都有「視而不見」、「聽而不聞」的本事。

你新買一座「咕咕鐘」，每個鐘頭裡面都鑽出一隻咕咕鳥，幾點鐘就咕咕幾聲。下面還帶兩個鉛錘，拉動一個「鐘擺」，滴答滴答地響。

你是不是夜裡常被吵醒，醒了之後，聽那滴答滴答的聲音，半天睡不著？

但是這情況會維持很久嗎？

當然不！隔一陣，你就不覺得了，你甚至根本不會感覺那鐘擺的滴答聲。

你是「聽而不聞」哪！

◉

你住的公寓門前突然放了許多磚瓦。然後有工人一批批往樓上運。

原來頂樓要加建。

你急了，衝上去抗議。

屋主很客氣，爲你解說他用的是輕建材，依照的是政府的規定，他會把磚退掉。

果然，他沒用磚，只用鐵皮蓋了個小房子。

你常站在樓下往上看，怎麼看，怎麼不順眼。

可是，漸漸地，你不往上看了。

誰閒著沒事，總仰著頭看屋頂呢？

改天，你偶然再抬頭，發現那鐵皮小房子已經換成磚頭。磚頭外面貼著與整棟公寓一樣的磁磚。

還不難看！甚至比以前鐵皮的還漂亮呢！

好像五層樓的公寓多了一層。

你還去抗爭嗎？

你已經適應了、接受了。你是「視而不見」哪！

這「視而不見」、「聽而不聞」的道理，與前面「虎妞」的故事是相關的。

虎妞突然不上班，大家會不適應。

違章建築突然出現，鄰居也會不適應。

前者是「突然沒了」，後者是「突然有了」。人都有「習慣」，習慣於既有的事實，習慣於「順眼」的東西。

只是幾乎這世上所有「不順眼的事」，看久了都能變得順眼。

所以，「兒不嫌母醜」。

所以許多人身體產生了病變，外人全看出來了，他的家人卻看不出，不知道早早催他去檢查。

所以你好一陣子不看電視，某一天打開，發現某位記者「怎麼老了這麼多？」

但是以後天天看，你又覺得他沒變了。

所以，妳的老朋友跟他的「賢妻」離婚，換了個年輕的太太，妳義憤塡膺，發誓不跟那「沒良心的人」來往。

但是，久了，偶爾見面，漸漸走動，妳又愈看他的另一半愈不錯。

妳開始跟「她」勤走動，甚至向「她」請教「抓住男人」和「保養女人」的方法。

◉

也就因爲了解了這個人性。

許多人對於「衝突」，都採取「拖」的戰略，他知道時間拉長了，對手疲了，氣消了，衝突就容易解決。

你細想想，很多法律上的大案子，不都是用拖解決的嗎？

當那案子剛發生的時候，媒體天天炒作，民眾人人氣憤，大家都盯著看，看他怎麼判。

他就拖著，不判。

媒體問、人民問，他都說還在蒐證。

漸漸地，大家還問嗎？

於是他判了，而且是輕輕判。

問題是，如果大家都懂這一點，逼著上面早早判，怎麼辦？

他還有辦法，就是一審重判。

於是你（民眾）高興了，覺得正義獲得伸張，卻沒想到，下面還有二審、三審呢！

一審判決，報上是頭版頭條，佔了半版，大快人心。

二審判決，報上是二版頭條，佔了四分之一。

三審判決，已是三年之後，大家都忘了，於是報上不過五行字，交代了過去。

就算三審判得很輕，很不合理，你還「有勁」、「有興趣」去抗爭嗎？

這就叫作——

「一審照法辦，二審判一半，三審更發審，四審全不算！」

你不能沒有的諒解

看到這兒，請不要嘆息人眞笨。

你要知道，能把不順眼的東西看順眼，能把無法接受的事實加以接受，能把咬牙切齒之恨化解，全因爲這人性。

人不堪拖。

人都會遺忘。

歲月最能療傷。

在多苦難，又多仇恨的人世，正因爲有這可愛的人性，使我們能活下來。

否則誓死不讓女婿進門的老岳父，怎麼可能有一天自己登門，帶瓶酒，說「我來看看我的孫子」，然後跟他痛恨的「那個小夥子」喝一杯。

否則那鬧了緋聞的公眾人物，怎麼重新站起，重新走上社會的舞台，重新被大家肯定。

否則那些「核電廠」、「焚化爐」、「變電所」、「化工廠」，怎麼能終於與四鄰和平相處？

◉

當然，我們也要時時提醒自己這人性的「優點」與「弱點」。

你要知道當你辦個展覽，展半個月，絕不會比你只展三天的觀眾多五倍，它甚至不但不多，還可能少些。

因爲大家一看報，知道有半個月，心想「不急嘛！」於是一拖再拖，等到知道結束，已經來不及了。

反不如你好好發個消息：

「只展三天，絕不延期。」

他今天早上見報，下午就到了。而且會催他的朋友去：

「早點去，第三天一定特別擠。」

你也要因此知道去圖書館借書，有個想不到的好處——你自己買的書，放在架上，什麼時候看都成，反正書是你的。那圖書館借來的，卻得限期歸還，過一天都挨罰，所以你總是先看。

◉

一個太長的展覽，一本無限期的書，都會使你看著、看著，一拖再拖，拖得視而不見、束之高閣。

◉

許多年輕的抱負、人生的理想，都可能因爲「明日復明日，明日何其多」，而消失了衝力。

許多子女的愛，都因爲心想以後再報答也不晚，於是拖了再拖，拖到有一天父母永遠離開了，才呼天搶地、頓腳搥胸地悔恨。

◉

「生米煮成熟飯」這句話，你可以說成：

「反正生米已經煮成了熟飯」，而無奈地接受。

也可以講：

「小心生米煮成了熟飯」，而常常自我警惕。

「子欲養而親不待」這句話。你可以說成：

「不是我不養，而是父母不等我。」

也可以講：

「子不養而親正待」。

你的父母正在等待啊！

第十章

如果他是雞，對他壞，他也不會飛，飛也飛不遠。

如果他是鶴，對他好，他也要飛，一飛就是千萬里。

姚家的賞花盛會

「要開了！大家今天晚上來呀！」姚太太一家一家打電話。

晚上八點半，就見李太太、韓太太、方小姐和林醫生夫婦往姚家跑。

姚家更是專門做了布置，二十四吋的青花瓷盆，原來放在陽台上，現在則搬進了客廳。盆裡那棵十幾歲的大曇花真是老當益壯，不但枝葉繁茂，而且有許多枝條伸出去一丈多。

姚家夫婦也眞夠費心的，每個長枝子都用小竹竿撐著，還綁著紅線，也就在那鬱鬱蔥蔥的葉子上，掛著幾十個紅裡帶白的花苞。

「今年足有三十七個苞，今兒晚上開二十八朵。」姚太太一邊請大家就座，一邊介紹當天晚上的主角。

主角眞是太美了。準九點，每個花苞都開始有了動靜。起先開個小口，好像娃娃打呵欠，接著就像時鐘一樣，只要你盯著看，就能見到花瓣的移動。

還有那股幽香，由遠遠的、一絲一絲的感覺，到愈來愈濃郁，又濃而不艷，在香裡有香，是一股「令人醉而不令人昏」的幽香。

「眞是太美了！年年看，年年醉。」李太太感歎地說。

「是啊！我們都羨慕死了，每天從妳樓下過，看見這棵大曇花，簡直成精了。你們怎麼辦到的嘛！」韓太太也搖著頭詠歎。

「你們一定有什麼秘法。」方小姐拍了姚太太一下：「快！傳授幾招啦！我跟妳拜師好不好？」

「對！對！對！」大家都起鬨：「磕頭！磕頭！」一屋子人笑成一團。

「這哪兒有什麼秘法，就是多花心血照顧，只要你們肯花時間，都能種得好。」姚太太笑道：「當然我們這盆可能品種特別好。不過……」看看姚先生：「如果我老公同意，等會兒我可以每人送你們一個枝子，回去一插就活了。」

姚先生點頭：「這有什麼問題？我這就進去拿剪刀。」

十二點，大夥在滿室馨香中告辭時，每人手上果然都拿著幾根曇花枝子。

方小姐還特別回去向那大曇花拜了拜：

「謝謝祖奶奶，改天我們『分香』成功，一定回來拜祖奶奶。」

一時間，每個人都過去拜了拜，鬧成一團。

◉

這「分香」居然眞成功了。

姚太太也就更成爲大家的「請教中心」——

「我的已經發芽了，要不要加肥料？」

「我的生枝子了，要不要換盆？」

「奇怪，我的葉子上有小斑點，姚太太，您快來看看吧！」

一年之後，那「賞花會」就更熱鬧了，每家都把自己「分香」的成果帶來。一年之間，居然頗有可觀，尤其是方小姐的，葉子長得又肥又厚，比「祖奶奶」的葉子都漂亮了。

「可就是不開花。」方小姐噘著嘴說，還抱著盆，放在大曇花樹下，拜了拜。

「別急啊！總要有個三年才會開的。」姚太太笑著過去摸摸方小姐的那盆：

「挺好！挺好！」

◉

又是一年過去了，大家也又在姚家賞花。

今年沒人帶「自己的花」來。李太太、韓太太沒帶，因為早死了。

林醫生夫婦也沒帶，說是太難看，不好意思帶來。

方小姐則神秘地笑笑：「太大了，不好搬。」

「天哪！才兩年，就太大了。」姚太太笑。

「是啊！還出了個花苞，也是今兒晚上開呢！」

大家全瞪大了眼睛：「不是說最少三年才會開嗎？」

姚太太則鼓掌：「棒！小方眞棒，兩年就開花，眞是奇蹟！」

當天晚上冷清些，因為方小姐待一下就跑了，說是回去欣賞自己那「一朵花」

去了；韓太太不信，也跟了過去。

◉

曇花眞是妙，大概跟氣溫有關，當氣溫突然下降，就會催生花蕾，所以不一樣的人家總是同時開花。

也就因此，再下一年的賞花會，就更沒人了。

林醫生夫婦的曇花剛好三歲，果然開了兩朵花，當然留在自家賞花。

方小姐更不用說了，她的花長得奇快，居然一晚上開十八朵。

「大家來我家吧！」方小姐一家家打電話：「我的分店可不比本店差，我用進口的Cactus Juice營養液，花特別大、特別香，而且有並蒂花呢！」

「眞的啊！」林太太在電話裡說：「我還正想去請教姚太太，開花之後該怎麼保養呢。」

「來向我請教吧！」方小姐笑著說：「姚太太那種放蛋殼的方法，髒死、臭死了！還招蟲子，她早落伍啦！」

你不可不知的人性

姚家不是太冤了嗎？

每年曇花盛開的時候，他們把那麼重的花盆抬進客廳，再四處打電話，邀朋友來欣賞，少不得還準備許多茶水點心招待。

他們甚至能不「專美」，居然把自己寶貴的品種，讓賞花的朋友分享。

姚家能想到那些朋友，後來竟然成爲競爭的對手，甚至成爲敵人嗎？

聽聽！方小姐說什麼話？她不是太忘本，太忘恩負義了嗎？

◉

這世上似乎充滿那樣忘恩負義的人——

一個窮小子，跟著師傅學手藝，吃師傅的、住師傅的，改天本事學成了、翅膀硬了，飛了！自己出去開店，跟師傅爭地盤了。

你幫助一個朋友，在你手下做生意，對他特別照顧，教他各種技巧，介紹給同業認識。

有一天，他莫名其妙地跟你鬥氣，絕裾而去，自己開了店，開幕邀請函的名單，居然是從你電腦裡偷的。

你是大哥，帶著弟弟妹妹搞工廠，弟弟管個部門、妹妹管個部門。家庭企業，應該是最保險的了，居然有一天弟弟出去闖天下，妹妹嫁了同行的朋友。

他們都說會跟你合作，絕不搶你的生意。可是有一天，你的客户跑了，說人家的東西便宜得多，你追根究柢，才發現是弟弟妹妹「倒了行市」。

你是老子，披荊斬棘有了一番事業，又辛苦培育自己的兒子出國留學，回國進公司由基層幹起，只等過幾年就可以接班。

偏偏他有他的理念、有他的脾氣，總跟你唱反調。

有一天，你氣極了，把他踢出「權利圈」。

沒隔多久才發現，他已經自己起了爐灶，那驚人的本錢居然是你在商場的老朋友們投資的。

◉

長江後浪推前浪，各領風騷三百年；老者朽矣，後生可畏。

上一代造就下一代，下一代超越上一代，這是天經地義的事。

孔子說的「見賢思齊」是什麼意思？

是看到比自己賢良、比自己能幹的人就要想去向他看齊。

問題是，有一天眞看齊了，下一步又是什麼？

當然是超越！

下一代超越上一代，是「超邁前賢」。

學生超越老師，是「青出於藍」。

古人不是早說了嗎？

有狀元學生，沒有狀元老師。

老師年年看學生來、學生去，一批又一批自己作育的英才，畢了業、升了學、出了國、得了獎，載譽歸來。

學生已經成爲頂尖的人物，老師還在「教幾個小小蒙童」。

哪個老師能沒有這個感慨？只是，沒有平凡的老師，怎麼有傑出的學生？

如果你是老師，你是不是也一方面感慨自己的「粉筆生涯」，一方面又興奮於學生的成就？

你能因爲怕學生超過你，而「留一手，不教」嗎？

你不能沒有的諒解

人類能不斷進步，就因爲這種愛比、好戰、追求超越的個性。

那是與生俱來的——

一個嬰孩，他總在超越自己，他上個月才會翻，這個月就想坐，下個月便要爬，再過幾個月，則要站起來。

他站起來了，站不穩，跌倒，而且跌痛了、跌哭了，他難道就因此不「站」了嗎？

他還要站。不但站，更要走；不但走，還要跑。

他在追求「今天要比昨天好，明天要比今天好」。他在向他自己的昨天挑戰啊！

◉

然後，那孩子上了小學。他跟爸爸玩球，起初學著丟高，漸漸能投進籃框了，慢慢能跟爸爸「鬥牛」了。

他鬥輸了，居然生氣，甚至跟老子沒禮貌。

◉

他不是在跟父母比，想超越父母嗎？

又過些年，孩子進了中學。

他對父母更叛逆了，卻對外人好，尤其崇拜明星，那些明星成爲他的「偶像」。

什麼叫「偶像」？

偶像就是「見賢思齊」的對象啊！

他夢想有一天能跟那偶像一樣，在台上蹦、跳、唱、一呼百應，被千萬年輕人擁護。

問題是，如果有一天，他的夢想成眞了，他果然一步步爬上去，跟他的偶像同台了。

請問你，他心裡想的下一步是什麼？

當然是打倒他的偶像，超越他的偶像，比那偶像更成功。

◉

這就是人性！

一個可怕又可愛的人性！

如果人人都不比、都不好鬥，每個人都安於現狀，不求突破，也不求超越前人。

人類的社會能有今天這麼進步嗎？

你別以爲中國人喜歡「臨古」、「師古」，什麼都說古人好。

你知道中國文人用什麼形容能夠創造、發明，自成一家的人嗎？

他們會說這個人「與古人血戰」。

血戰！多麼殘酷的詞啊！不但與古人戰鬥，而且要打得流血。

你沒有推翻古人的魄力，怎麼可能有驚天動地的成就？「盡信書，不如無書」，如果你不懷疑前人的道理，怎麼可能有了不得的新發現？

◉

了解這一點，你就應該對那許多「翅膀硬了」、「自立門户」的人有所諒解。

你要以「老師盼學生得狀元」的心態去對待每個「從你身邊出去的人」。

你不能沒有的諒解

你也要想想，今天換作你，你翅膀硬了，會不會也要飛？

如果你是雞，你不會飛，飛也飛不遠。

如果你是鶴，你當然飛，而且一飛就是千萬里。

每個人都希望自己是鶴，每個人都不能強迫別人是雞。

第十一章

要你老婆停止看她的連續劇不難，
只要你裝作迷戀那劇裡的女主角。

小猴成功記

「怎麼樣，血壓穩定了吧！」龐老總拉著曾經理的手：「好好養病，別爲辦公室操心。」

剛說完，龐老總又笑了：「唉！說不要你操心，昨天才麻煩你，眞是罪過。」

「麻煩我？」曾經理不太懂。

「是啊！昨天發給加州的那封信，不是小侯過來請你寫的嗎？不好意思！不好意思！這麼點兒事，你生病，還打擾你。」

曾經理更不懂了，露出滿臉疑惑的表情。

「對不起！是我不對。」站在門口的小侯過去，囁囁嚅嚅地說：「我昨天來醫院，看見曾經理睡得正熟，不敢叫醒他，就自己動手寫了。拿給龐總看，說沒問題，我就沒講。」

「你寫的？」龐總和曾經理一起瞪大眼睛：「你怎麼會寫？」

「我在中學就最喜歡英文，昨天參考公司裡以前的商業書信，發現只要改動一點點就成了。」

「寫得很好哇！」龐總叫了起來：「我還眞以爲是老曾寫的呢！」回頭看曾經理：「你瞧！看不出這小子，能有這程度，眞是長江後浪推前浪啊！」說完，兩個人都大笑了起來。

◉

小侯果然是長江後浪推前浪，曾經理養病的這段期間，龐總像是存心考考他，不但業務部的英文書信交給他，連龐總自己和美國朋友的應酬信，也交給了小侯。

「小侯眞不錯，你怎麼找到他的？」龐總這天又去醫院探視曾經理。

「唉！我家裝修，他是裝修工人，打下手，點點貨啦、運運材料啦！我發現他挺俐落，正缺人，就把他找來了。」

「你可眞有眼光。」龐總拍拍曾經理：「改天你病好，如果忙得過來，我要跟你借調這個年輕人，我很欣賞他！」

◉

曾經理終於出院了，到班的第一天就把小侯找進去：

「你這陣子表現得不錯，龐總認爲你是可造之材，就是學歷差點，不夠專業。」遞給小侯一份資料：「這兒有個企管訓練班，你可以去進修一下。」

「進修？」小侯接過資料，有點猶豫：「好像很貴吔！」

「不用操心錢，我出！」

曾經理掏出支票。

◉

龐總走進業務部，東張西望了半天，再推門進曾經理的辦公室：

「欸！小侯呢？」

「請長假。」

「請假？」

「是啊！他覺得專業知識不夠，進修去了。」

「哎呀！只要肯努力，在我們這兒不是一樣進修嗎？還更實在呢！」

「他肯上進，我也不能攔著啊！」曾經理攤攤手。

「說得也是！說得也是！」龐老總直點頭：「我看哪！這小子有能力、有魄力，而且細心，將來不簡單。」抬頭問：「他什麼時候回來？」

「大概半年吧！」

「好！回來就叫他到我辦公室報到。」

◉

轉眼，企管班就結業了，小侯在三百多位學員當中拿了第一名。

結業式，曾經理也去了，還與小侯照相，許多同學都來跟曾經理打招呼：

「像您這樣的經理，自己出錢，叫員工進修，眞是太偉大了。」小侯的同學說：「我們眞羨慕死他了。」

結業式後，曾經理還特別請小侯到一家有名的西餐廳，吃大餐慶祝。

「什麼時候回來上班哪！」曾經理一邊抹奶油一邊問。

「明天就報到！」小侯興奮地說。

「好極了！不過你知道，你是我提拔的，如果龐總把你調走，去他辦公室，我在業務部的面子就掛不住了。」曾經理嘆口氣：「而且我跟老龐這麼多年，最了解他，也最了解這個公司，表面看他這個人嘻嘻哈哈，其實不用人才、用奴才，我希望你看在我栽培你的份上，堅持留在業務部。」

「那當然！」小侯放下手裡的湯匙，坐挺了回答：「我當然向您效忠。」

◉

「我有困難！」小侯果然斬釘截鐵地對龐總說。

「困難？老曾不放你上來？」龐總的臉拉長了：「你知道我是要提拔你嗎？」

「……」小侯半天沒說話，最後擠出一句：「曾經理沒有不叫我上來，他很愛護我。」

「我難道不愛護你嗎？」龐總大聲問：「你知道我已經私下爲你作了安排嗎？」

從總經理室才出來，小侯就去向曾經理報告：

「我堅持不上去。」

「年輕人，夠義氣。」曾經理拍拍他，接著電話響，老龐叫曾經理上去。

又隔一陣，曾經理鐵青著臉回來了，把小侯找進去：

「為你的事，龐老總很不高興，把我和你都臭罵一頓，」沈吟了一下，走到小侯身邊：「我看，得罪了他，沒好事。我老了，只好留下來過一天是一天，你有才能，又年輕……」

◉

小侯居然辭職不幹了。

為此龐總經理很不高興了一陣子，每次碰到曾經理，都問：「你跟小侯說了嗎？我安排地作特別助理，加薪一倍，而且過兩年就……」

「我當然說了。」曾經理也陪著嘆氣：「不過啊，人各有志，這小猴子志氣可大了，恐怕是看不上咱們公司喲！您那麼請他，他都不答應，不是太不識抬舉了嗎？」

◉

轉眼，十年過去了。

龐總退休，曾經理升上去，成了曾總。

上任不久，曾總就把辦公室重新裝潢，全用最好的材料，卻只花了市價的一半。

為此，董事會特別讚美了曾總，覺得老曾眞不簡單，連建築裝潢界都罩得住。

老曾當然罩得住！

那位有名的侯設計師，十年來總跟老曾走動，處處說自己是曾先生提拔的，使他能由個打雜的小工，成為企管的專家，又能一步一步往上爬。

「幸虧我聽曾總的，沒留在龐總的身邊作奴才，不然怎麼能有今天？」侯設計師每次視察工程進度，都跟公司新進的職員們說：「曾總眞是好人，眞是我的貴人哪！」

你不可不知的人性

老曾眞是小侯的貴人嗎？

當然！要不是他教小侯別去跟龐總，而自己出去打天下，小侯後來怎麼能成裝潢界的名人呢？

但老曾眞是好人嗎？

那可就是「開玩笑了」。

老曾不但不是好人，還是超級的奸人，你說他的段數高不高？

他能先把小侯調開，出錢讓小侯去進修，使小侯沒機會多跟龐總經理接觸，再利用年輕人的「血氣」、「義氣」，要小侯別上龐總的當，別去爲龐總作「奴才」。

問題是，龐總眞要小侯去作奴才嗎？還是他想特別提拔這個年輕人？

如果小侯眞去跟了龐總，只怕今天升上去作總經理的不會是老曾，而是小侯啊！

◉老曾爲什麼會「設計」小侯，小侯不是他提拔進公司的嗎？很簡單，因爲他也識才，看得出小侯有過人的才幹。只是，他把小侯帶進公司，是要用小侯作奴才，不是要小侯去搶他的鋒頭。

愈無才的人愈會忌才，他惟恐別人的學歷比他好。老曾看小侯只有高中畢業，學歷不高、不成威脅，所以用他。

偏偏小侯不是「池中物」，老曾生病，小侯居然「小試身手」，就讓龐總眼睛一亮。

龐總當著老曾讚美小侯，能不讓老曾心驚嗎——什麼？這小子居然已經能寫英文的商業書信，還幫老總打應酬的外文信函，加上他年輕、有衝力，他要是爬上去，將來能不站到我頭上嗎？

於是他「設計」，改變了小侯的整個命運。

可悲的是，小侯被賣了，居然始終不知道，他居然說老曾是好人，只怕他至今還一直想：「龐總眞是混蛋，他想利用我，去當他的小使喚。」

這世界上多少年輕人，就因爲少不更事，而被賣了。

這世界上又有多少好人，不但好心沒好報，他想造就的那個人，還可能一輩子誤會他。

如果你是龐總，你用老曾這樣的人之前，能不好好考慮考慮嗎？

如果你是一國的領導者，你又能用像老曾那樣「矇上欺下」的人嗎？

那種人不但會毀掉下面的人才，而且可能是把你送上斷頭台的人。

有一天，你上了斷頭台，居然下面觀禮（看行刑）的群眾，非但不知道你是好人，反而會喝采、叫好。

他們認爲他們悲慘的命運是你造成的，天理昭昭，你終於「伏法」了。

事實是誰造成的？

是與你一起打天下，就站在你身邊的那個人造成的啊！你死了，他脫身了，他甚至上台繼任，成爲萬民擁戴的「明主」。這世界就是如此，許多事情都不明不白地落幕了。悲劇的主角不知道，悲劇的觀眾不知道，只有那導演與編劇在偷笑。

◉

我爲什麼要寫這一章？其實這章是與上一章相關的。想想上一章，方小姐從姚太太那兒拿了曇花，自己培養，後來成了姚太太的對手。

這一章裡的小侯，不也是如此嗎？他被老曾提拔，然後光芒漸漸壓了老曾。

其中眞正的不同是——

方小姐以「後來者」，排斥了造就她的人。

老曾以「上一輩」，排斥了他所造就的人。

兩章看來相似，卻是兩種不同方向的反應。

◉

你或許要問，既是他造就的，爲什麼他還要排斥，這不是太矛盾了嗎？告訴你，這一點也不矛盾，這是人性！

今天你是圍棋國手，有個條件不錯的孩子，常來向你請教，你也就教教他。漸漸地，他愈下愈好，你由隨便應付，到「授五子」、「授三子」，最後非但不能讓他，而且還常輸給他。

你會怎麼想？

如果境界高，你會想「長江後浪推前浪，一代新人換舊人」；退而讓賢，努力幫助這個後起之秀，由他取代你。

如果你心胸狹窄，只怕你明明知道有好的比賽、好的棋譜，也不會告訴他。你開始排斥他。

◉

何止人性如此，連植物都一樣。

桃子多軟、多好吃！但是那桃核多硬啊！

它爲什麼長那麼好吃的果肉，又長那麼硬的桃核？

因爲它希望動物吃那果肉，再把桃核扔掉，使它的下一代能繁衍，能擴散——到遠方。

每一種生物，基本上都希望他的下一代能延續。但是每一種生物也都有個矛盾，就是希望它的下一代別跟它爭地盤。

所以許多樹，像是桉樹、黑胡桃樹和山毛櫸，它們會分泌毒素，使附近別的樹無法生長，甚至包括它自己的下一代。

◉

你看過紀錄獅子生活的影片嗎？

雄獅在孩子還小的時候，會跟孩子一起玩。

但是當小雄獅長大了，雄獅就開始排斥牠。

那些小雄獅，不得不離開「爸爸的地盤」，自己去尋發展，牠們在自己地盤的四周撒尿，向所有的獅群宣告（包括牠的父親）：「我長大了，這是我的國土，你們不得隨便侵入。」

◉

人畢竟是人。絕大多數的父母會讓著孩子、造就自己的下一代。

但是朋友、同事之間，就不一樣了。

今天你小，我讓著你，當你是後進，教你、帶你，但是當你的羽翼漸豐、爪牙漸利，我還能讓你嗎？

所以「讓」這件事，通常發生在實力懸殊的情況。當實力愈來愈接近，「讓」就變爲「競爭」、變成「戰鬥」。

同樣的道理，你以爲周遭與你實力相當的人，最會捧你嗎？

錯了！正因爲他們與你相差不遠，除非你與他利益掛鉤、相互吹捧，否則他們必定跟你暗中較勁。

你又以爲那過去一直提攜你的長官，會永遠照顧你嗎？

也錯了！除非你一直把姿勢放低，不給他一點點威脅，否則當你長大了，他就如同雄獅一樣，開始對你齜牙。

◉

於是你發現，當一個資深學者去申請學術獎金，那獎金的審查委員可能都是他同輩的人。

他們在開評審會議時，可能彼此笑道：「某人眞是的！他何必來跟年輕人爭？我們不必錦上添花了。」

於是那獎金落在了晚一輩學者的口袋裡。

論成就，那資深學者理當得獎，爲什麼這些同輩的評審不給他呢？

道理很簡單——

「遠交近攻」嘛！

晚輩比這些評審差得遠，給他這個獎，他也不至於「坐大」。

但是那位資深的學者就算了吧！我們給他，使他又多個得獎的資歷，不是把我們都要比下去了嗎？

話說回來，今天那個得獎的年輕人，如果聲譽日隆，改天再去申請，又碰上同一批評審，他還能得獎嗎？

於是你懂了——爲什麼一位諾貝爾文學獎的被提名人，在國內從未得過文學大獎，他甚至上不了「作家名錄」。作家爲什麼不認他是作家？

◉

人性是矛盾的。他一方面「好爲人師」，會教那些不如他的人，但是當那些人「大了」之後，他又會「容不得人」，而去排斥。

殖民者會去教那些知識未開的土著，爲他們辦學校、送他們去留學。

但是當有一天，那些被教育的土著下一代，有了自己的思想，有了自己的主張。

殖民統治者就會排斥他們，把他們關進監牢或偷偷槍斃。

你不能沒有的諒解

多麼可怕的人性啊！

但是如我所說，它是天地間當然存在的一種道理。植物有、野獸有，人也有。

了解了這點，如果你希望一直被長官愛護，就應該總把他放在第一位，你必須常常暗示他，你絕對效忠，不會取他而代之。

當你發現自己的腳，怎麼躲，都不得不踩到他腳趾的時候，如果不是他走或你離開，你就最好準備迎戰。

◉

如果你是領導者，你最好分層負責，自己絕不往下越級，接觸任何「屬下的屬下」。

你不可與那些「小子」私下吃飯，更避免當著他長官的面讚美他們。

他的長官愈是飯桶，你愈要小心。否則你才讚美不久，就會發現他的長官來對你說他的壞話；再過不久，那個小子就遞上辭呈。

你愈讚賞他，他可能滾得愈快。

◉

如果你是新進人員，你的頂頭上司、直屬長官與你又在同一個辦公室。當下班時間到了，直屬長官要走了，而頂頭上司還在的時候，你最好跟直屬長官一起下班，別留在辦公室。

否則，你的直屬長官難免會想，這小子會不會跟「老大」接觸，攀交情、打小報告？

至少，你總是加班，對比之下，顯得你的直屬長官不如你努力。

你最好「少表現」，除非你有個有實力、有才能，又有心胸的長官或了不得的「後台」。

◉

如果你已經人生過半，更該回頭想想，那些你過去痛恨的人，是不是眞值得恨？會不會因爲你被人設計，而誤會了他。

如果你被設計、被排斥，後來卻成功了，就別再去恨任何人了吧！因爲那是人性啊！

因爲貴人未必是好人，貴人常是欺負你、逼你成功的人哪！

既然他是你的貴人，你又何必恨他呢？

後記

別作爛好人

一九九九年十二月，世紀末的歲暮，我應大陸出版社的邀請到北京等六個城市演講。

一路上，我接受了許多電視台的訪問，也上了大陸最熱門的節目《有話好說》。但是印象最深的，卻是在長沙嶽麓書院裡的一個訪問。

南方的初冬，好像北方的仲秋，那天我和記者坐在池邊，遠處有迴廊講堂，腳前是流水錦鱗，加上金風黃葉，美極了！

「聽說您昨天到湖南大學附近的一個書店，還買了一本自己的盜版書。」記者問。

「是啊！」我笑笑：「我問那店員是不是盜版書，她說保證不是。我說是，而且我就是作者，她居然理直氣壯地講『這不就是你的書嗎？』」

接著記者問我對大陸盜印猖獗的感想。

我想他一定猜我會痛罵，但是，我沒罵，只是淡淡一笑：

「其實每個開發中國家都有盜版問題，對於一些落後地區，盜版能使他們用很少的錢獲得最新的知識，也使他們能更早脫離貧窮。」接著我引述了紐約律師汪恆祥說的故事：「聽說有個美國書商跑到村子抓盜印。走進村子，前後左右，每家都傳來小型印刷機轉動的聲音。一個老太太拄著拐杖走過，幾個孩子叫鬧著跑過，一個小娃娃哭著爬過。美國書商愣住了，轉身，離開。」

「您這麼說，好像並不反對盜版，也不痛恨這些人。」記者驚訝地問。

「我當然反對，但我不恨，我只是試著去諒解。」我說。

◉

是的，我相當諒解他們。對每個害我的人，我總是在痛心疾首之後，試著想：

「他們那樣做，可能有不得已的苦衷。」

諒解使我能從正面思考，使我能由別人的角度想事情，也使我見到許多別人見不到的東西。

但我不是「爛好人」，在諒解的同時，我也有責難。

我認爲大陸以前經濟比較落後，好比在世界舞台上不被重視的小角色，作作小動作，沒人注意。但是現在躋身強國之林，站在舞台中央，成爲主角，則是「動見瞻觀」。

爲了保護創作者的智慧財產，我不能只有姑息，沒有行動；更不能只有道德，沒有勇氣。

◉

長沙訪問之後的第十二天，我到了瀋陽，遇上多年來少有的酷寒。

十二月二十一日，頂著攝氏零下十八度的寒風，我到了瀋陽市中級人民法庭，具狀控告兩個販賣盜版書的書商。

在大陸不告印書者，而告書商，是少有的事。我這麼做，一方面因爲盜印者都用化名，不易追查；一方面採用了「抓下堵上」的方式。

在法庭外，我又接受了電視台的訪問，我說得很簡單——

「我這樣做，不只是爲自己，也是爲整個社會。因爲只有版權獲得保護之後，創作者才可能不愁生活，專心創作，國家也才可能進步。」我更強調：「今天如果我贏了官司，每一文獲賠的錢，全部拿去建希望小學，表示我不是爲錢來打官司，而是爲了伸張正義。」我甚至說：「今後在大陸任何抓盜版獲賠的錢，全部用來捐建學校。」

◉

半年多之後，判決下來，我終於贏了，只是賠得不多，只有五萬人民幣，扣掉四萬律師費，剩下一萬元，連旅費都不夠。

但我捐建的十所「慈恩希望小學」，都將在年底前完工。

我今天把這些講出來，只是要說明一件事——

我們要懂「不可不知的人性」，要有「不能沒有的諒解」，更要有「絕不妥協的堅持」。那「絕不妥協」，不是無情，是有情。

「明刑」是爲了「弼教」，「打擊」是爲了「安定」，所有的「強勢作爲」都可以化作「溫柔體貼」。

同樣的道理，看這本書，請千萬不要因爲諒解人性而變得瞻前顧後，因爲了解人性而變得冷漠無情。

希望這本《你不可不知的人性2》，帶給您的是對人生的正面思考，也是面對人世的更大勇氣。

而那更大的勇氣，是爲我們下一代，建立更美好的未來。

水雲齋公益活動報告

（二〇〇〇年一月一日至十一月三十日）

◉本報表係爲徵信而根據各公益團體之收據製作，所有款項均屬二〇〇〇年，不累計過去的數字。

一、**捐助台灣慈善團體**：創世社會福利基金會200,000元、伊甸社會福利基金會200,000元、恆春基督教醫院100,000元、德蘭啓智中心100,000元、基督教門諾醫院100,000基督徒救世會50,000元、彰化基督教醫院50,000德蘭兒童中心50,000元、布農文教基金會40,000元、中華民國殘障聯盟40,000元、天主教福利會20,000元、愛盲文教基金會20,000元，總計1,020,000元

二、**支持東南亞僑教**①經由中國人權協會海外和平服務團捐款50,000元，爲泰北民養村培中小學續聘教師一人（今年爲第三年）。②捐馬來西亞華校董事會總會1,350元（馬幣）。③安排劉軒應董總邀請前往馬來西亞義講六場。

三、**義賣畫卡及複製品**：一月二十三日出文承諾美華防癌協會捐贈十萬張畫卡義賣，作爲照顧在美華人防癌之用。此畫卡正製作中，美國讀者請洽美華防癌協會（TEL：718-8868890）。繼續捐贈畫卡給伊甸社會福利基金會義賣。請洽伊甸（TEL：02-25773868）。

四、**支持美國僑教**：捐贈紐約大頸區華人聯誼會5,000元（美金），作爲辦理該地區華文活動之用。

五、**興建希望小學**：慈恩一小（四川張家嘴村）、慈恩二小（四川棗兒坪村）、慈恩三小（四川通埡口村）、慈恩四小（四川鶴鳴觀村）、慈恩五小（四川九家街村）、慈恩六小（四川長樹嶺村）、慈恩七小（四川袁家嘴村）、慈恩八小（四川光中鄉）、慈恩九小（四川鐵鞭鄉）、慈恩十小（四川桐坪鄉）。此外並支援十五位貧困中學生升學。

（以上學校均係委請紐約「菩提心基金會」興建。有意興學的朋友可電美國

1-914-7255270「燃燈助學」計畫負責人陳金浩先生詢問。）

六、回頭書義賣：凡在校師生由訓導處於郵撥單後蓋章，均可以六折（以最新書價爲準，不得少於十本）購買八成或九成新的回頭書，收入全部用作公益。今年回頭書義賣收入12,768元。

◉**水雲齋辦理公益活動的原則是：全部公益活動均由本公司作者以其個人版稅為之；除回頭書義賣，我們不經手外界任何金錢，也不對外募款。各種義賣品均捐贈慈善團體自行處理，我們不回收任何成本，也不代售。**

劉墉的著作

文藝理論：

〈中國繪畫的符號〉（《幼獅文藝》．1972）

〈詩朗誦團體的建立與演出〉（聯合報1981）

《花卉寫生畫法The Manner of Chinese Flower Painting（中英文版）》（紐約水雲齋．1983）

《山水寫生畫法Ten Thousand Mountains（中英文版）》（紐約水雲齋1984）

《翎毛花卉寫生畫法The Manner of Chinese Bird and Flower Painting （中英文版）》（紐約水雲齋．1985）

《唐詩句典（暨分析）（水雲齋1986）

《白雲堂畫論畫法Inside The White Cloud Studio（中英文版）》（紐約台北水雲齋．1987）（太平洋文化基金會獎助）

《林玉山畫論畫法The Real Spirit of Nature（中英文版）》（紐約台北水雲齋．1988）（太平洋文化基金會獎助）

〈中國繪畫的省思（專欄系列）〉（中國時報．1990）

〈藝林瑰寶（專欄系列）〉（財富人生雜誌．1990）

〈內在的真實與感動〉（聯合報．1991）

《中國文明的精神（三十集二十七萬字）》（廣電基金．1992）

〈屬於這個大時代的麗水精舍〉（太平洋文化基金專刊．1995）

畫冊及錄影：

〈歐洲藝術巡禮〉（中國電視公司播出．1977）
《芍藥畫譜》（水雲齋．1980）
《The Real Tranquility（英文版錄影帶）》（紐約聖若望大學．1981）
《春之頌（印刷冊頁）》（紐約水雲齋．1982）
《真正的寧靜（印刷冊頁）》（紐約水雲齋．1982）
《The Manner of Chinese Flower Painting（英文版錄影帶）》（紐約海外電視25台播出．1987）
《劉墉畫集（中英文版）》（紐約台北水雲齋．1989）
《劉墉畫卡（全套四十九張）》（水雲齋．只供義賣．1993．1994．1995．1996．1997．1998．1999．2000）

有聲書：

《從跌倒的地方站起來飛揚（劉墉．劉軒演講專輯）》（台南德蘭啟智中心．只供義賣．1994．馬來西亞華僑董事會聯合總會．只供義賣．1997．水雲齋．只供義贈盲胞．1997）
《這個叛逆的年代（劉墉演講專輯）》（馬來西亞華僑董事會聯合總會．只供義賣．1995）
《在生命中追尋的愛（劉墉演講專輯）》（伊甸社會福利基金會．只供義賣．1996）
《愛的變化與飛揚（劉墉演講專輯）》《在靈魂居住的地方(有聲書)》(水雲齋．只供義贈盲胞．1998）

譯作：

《死後的世界（瑞蒙模第原著）》（水雲齋．1979）
《顫抖的大地（劉軒原著）》（水雲齋．1992）

詩、散文、小說：

《螢窗小語（第一集）》（水雲齋．1973）

《螢窗小語（第二集）》（水雲齋・1974）（中山學術文化基金獎助）
《螢窗小語（第三集）》（水雲齋・1975）（中山學術文化基金獎助）
《螢窗小語（第四集）》（水雲齋・1976）
《螢窗隨筆（詩畫散文集）》（水雲齋・1977）
《螢窗小語（第五集）》（水雲齋・1978）
《螢窗小語（第六集）》（水雲齋・1979）
《螢窗小語（第七集）》《真正的寧靜（詩畫散文小說集）》（水雲齋・1982）
《小生大蓋（幽默文集）》（皇冠・1984）
《點一盞心燈》《薑花》（水雲齋・1986）
《超越自己》《四情》（水雲齋・1989）
《創造自己》《紐約客談》（水雲齋・1990）
《肯定自己》《愛就注定了一生的漂泊》（水雲齋・1991）
《人生的真相》《生死愛恨一念間》（水雲齋・1992）
《冷眼看人生》《屬於那個叛逆的年代》（改寫劉軒原著）《離合悲歡總是緣》（水雲齋・1993）
《衝破人生的冰河》《作個飛翔的美夢》《把握我們有限的今生》（水雲齋・1994）
《我不是教你詐》《迎向開闊的人生》《在生命中追尋的愛》（水雲齋・1995）
《生生世世未了緣》《抓住心靈的震顫》《我不是教你詐2》（水雲齋・1996）
《尋找一個有苦難的天堂》《殺手正傳》《在靈魂居住的地方》《創造雙贏的溝通》（劉軒合著）（水雲齋・1997）
《攀上心中的巔峰》《我不是教你詐3》《對錯都是為了愛》（水雲齋・1998）
《做個快樂讀書人》《一生能有多少愛》《你不可不知的人性》《面對人生的美麗與哀愁》（水雲

齋・1999）
《抓住屬於你的那顆小星星》《愛何必百分百》《把話說到心窩裡》（水雲齋・2000）
《你不可不知的人性2》（水雲齋・2001）《因為年輕所以流浪》（超越・2001）

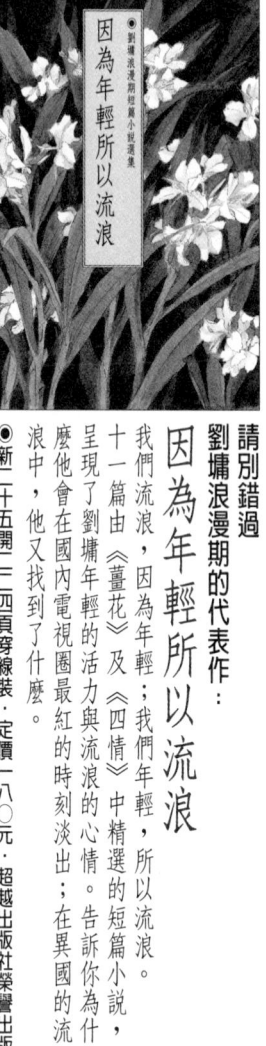

請別錯過
劉墉浪漫期的代表作：

因為年輕所以流浪

我們流浪，因為年輕；我們年輕，所以流浪。十一篇由《薑花》及《四情》中精選的短篇小說，呈現了劉墉年輕的活力與流浪的心情。告訴你為什麼他會在國內電視圈最紅的時刻淡出；在異國的流浪中，他又找到了什麼。

◉新二十五開二二四頁穿線裝・定價一八〇元・超越出版社榮譽出版・農學社總經銷・（二〇〇一年元月出版）

劉墉「處世系列」介紹

【導讀篇】

人生的真相

如果「勵志」書是教你向前衝，這本「礪智」書則是要你小心走。八十多個精采的小故事，以連鎖的方式呈現，讓你自己閱讀、自己歸納、自己發現，卻不必自己「遭受」就了解人生的真相。

◉三十二開，二二四頁，穿線裝，定價一五〇元。

【反思篇】

冷眼看人生

這是一本專為成年讀者寫的書，很辛辣、很幽默、很諷刺、很動人。它可能讓你會心而笑，也可能令你手心冒汗。最重要的是，它反映真實的社會與人性。教你怎樣以冷眼，客觀地看這人世間的眾生相。

◉三十二開，二四〇頁，穿線裝，定價一五〇元。

【辯證篇1】

我不是教你詐（第一集——一般處世）

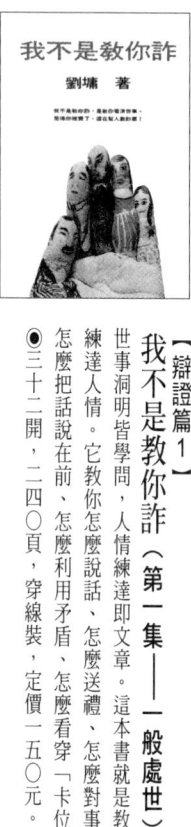

世事洞明皆學問，人情練達即文章。這本書就是教你：怎麼洞明世事，如何練達人情。它教你怎麼說話、怎麼送禮、怎麼對事不對人、怎麼韜光養晦、怎麼把話說在前、怎麼利用矛盾、怎麼看穿「卡位」，甚至怎麼打電話。

◉三十二開，二四〇頁，穿線裝，定價一五〇元。

【辯證篇2】

我不是教你詐（第二集——工商社會處世）

這是一本針對當前社會現象所寫的書，每個故事都可能切中時弊，每個分析都可能深入人心。它把這個工商業社會的機巧與人性結合在一起，作出細細的分析。它教你怎麼看透人性和諒解別人，也教你怎麼做個「不被迫害的好人」。

◉三十二開，二七二頁，穿線裝，定價一八〇元。

【辯證篇3】

我不是教你詐（第三集——現代社會處世）

這本書雖然看來比前兩集更辛辣，但是也更平實而溫厚。它教你哪些事不必說，哪些事不該問；得理時且饒人，有錯時先認錯；當勢的人小心被利用，遇到僵局要主動去化解；一人贏不如大家贏……。它教你真正做到「大詐之詐，彷彿不詐」。

◉三十二開，二六四頁，穿線裝，定價一九〇元。

【反諷篇】

殺手正傳

這是一本經過細密策畫寫成的巨著，也是劉墉從事文學創作以來，最雄渾有力的作品。作者巧妙地透過一隻螳螂，探討人生的愛憎情仇與人世的狡詐現實。它比過去任何一本書都辛辣尖銳，對整個人類的文明提出批判。

◉二十五開，三五二頁，穿線裝，定價二八〇元。

【剖析篇】

你不可不知的人性

這是一本兼具深度、廣度、力度與溫度的作品。劉墉以「身邊的小故事」和古今的實例，一層層剖析真正的人生。它像一把手術刀，切到人心深處，先讓你看清人性的毒瘤，再把毒瘤切除。它絕對是尖銳、露骨、血淋淋的，只是在血淋淋之後，希望帶給你一種豁達。

◉二十五開，二二四頁，穿線裝，定價二〇〇元。

【言語篇】

把話說到心窩裡

這是一本非常實用的處世書，也是「名嘴」劉墉將「說話的理論與實際」結合，成為一門語言藝術的書。它教你如何壞話好說、狠話柔說、大話小說、笑話冷說、重話輕說、急話緩說、長話短說、虛話實說、廢話少說、真正把話說到心窩裡。

◉二十五開，二〇八頁，穿線裝，定價二〇〇元。

國家圖書館出版品預行編目資料

你不可不知的人性②／劉墉著. --初版. --臺北市：水雲齋文化，2000〔民89〕
面；　　公分

ISBN　957-9279-50-0（平裝）

1. 人性論

855　　　　88007108

你不可不知的人性②

作　　者：劉　墉
發 行 人：劉　墉
出 版 者：水雲齋文化事業有限公司
地　　址：臺北市忠孝東路四段三一一號五樓之五
郵政劃撥：一五〇一三五一五號
電　　話：(〇二)二七七一七四七二・二七四一五二六六
傳　　真：(〇二)二七四一五二六六
登 記 證：局版台業字第伍零零貳號
責任編輯：蔡慧慧
校　　對：司馬特　畢薇薇　馮宜靜
總 經 銷：吳氏圖書有限公司
地　　址：臺北縣中和市中正路七八八之一號五樓
電　　話：(〇二)三二三四〇〇三六
法律顧問：世界法律事務所
排版印刷：中原造像股份有限公司
地　　址：臺北縣中和市建康路一三〇號七樓之十一
定　　價：平裝二二〇元
出　　版：二〇〇〇年十二月

ISBN:957-9279-50-0